JN006401

おバカな答えもAIしてる

人工知能はどうやって学習しているのか。

ジャネル・シェイン

千葉敏生／訳

YOU LOOK
LIKE A
THING AND
I LOVE YOU

How Artificial Intelligence
Works and Why
It's Making the World
a Weirder Place
Janelle Shane

光文社

おバカな答えも
AIしてる

人工知能はどうやって
学習しているのか？

わたしのブログ読者のみなさんへ
いつもくだらない記事に笑い、
ヘンテコな生物の絵を描き、
そこかしこにキリンを見つけ、
おまけにニューラル・ネットワークが創作した
クッキーを焼いてくれるみなさんに感謝したい。
わさびブラウニーまで試してくれて、 ありがとう。

家族のみんなへ
だれよりもわたしのファンでいてくれて、
本当にありがとう。

目次

ＡＩはそこらじゅうにいる

　正直言うと、AIにナンパのしかたを教えるなんて、あまり気が進まなかった。

　これまでにおかしなAIプロジェクトをたくさん手がけてきたのは事実だ。わたしのブログ「AI Weirdness（AIの不思議）」では、AIに新しいネコの名前を考えさせるトレーニングを行ったこともある。「ミスターおもらし（Mr. Tinkles）」や「ゲロリン（Retchion）」というのは失敗作の例だ。それから、新作レシピを考えてもらったこともある。すると、「皮をむいたローズマリー」や「細かく砕いたガラスひとつまみ」なんて材料が出てきた。でも、AIに人間の口説き方を教えるのはまったく別次元の問題だった。

　基本的に、AIは例を使って学習する。この場合でいうと、あらかじめ用意された口説き文句のリストを分析し、それを使って新しい口説き文句を生成していく。ただ、ひとつだけ問題があった。わたしのコンピューター画面にずらりと並んだトレーニング用のデータセットは、わ

たし自身がインターネット上のいろんな場所から集めた口説き文句のリストだったのだが、おサムいオヤジギャグから、セクハラまがいの表現まで、目をそむけたくなるようなセリフがめじろおしだった。そのリストをお手本にしてAIをトレーニングし終わると、あとはボタンをひと押しするだけで何千もの新たな口説き文句を生成できるようになる。でも、好奇心旺盛な子どもと同じで、AIにはまねていいものとまねてはいけないものの区別がつかない。AIは口説き文句（もっといえば英語）とは何かも知らない完全な白紙の状態から始め、例を通じて学習し、学習中に発見したパターンを必死で再現しようとする。もちろん、下品な表現もそのまま覚えてしまう。AIに分別なんてものはないのだ。

　わたしは途中であきらめかけたけれど、あとでブログ記事にすると約束してしまったし、すでに口説き文句の例を集める作業にそうとうな時間をかけていたので、何はともあれAIのトレーニングを始めることにした。すると、AIは口説き文句の例のなかにパターンを探しはじめ、文字の出現する順序を予測するための法則を導き出し、テストしはじめた。ようやくトレーニングが終わると、わたしはAIにおそるおそる何個か口説き文句をつくってもらった。

> ひょっとして君はカーテン・レールじゃないかい？　だって、ここにある唯一のモノだから。
> やあベイビー。君は鍵じゃないかい？　君のおならなんてクサくもないさ。
> 君はまるでロウソクだ。なんてったって君は最高にホットだからね。
> なんて美しいんだ。ボクにバットと言ってくれよ、ベイビー。
> 君はまるでモノみたいだ。大好きだよ。

　いい意味で期待を裏切られた。ミミズと同じくらい単純なAIの仮想的な"脳"では、女性蔑視やくだらなさといったデータセットの微妙なニュアンスをまるで理解できていなかった。このAIはまともな口説き文

句を考えることには失敗したけれど、データセットのなかから必死でパターンを見つけ出した結果、それとはまったく別のことに成功したのだ──そう、人間を笑わせることに。

わたしから見れば、この実験は大成功だったけれど、ニュース記事やSF小説に出てくるAIしか知らない人にとっては、AIがこんなにおバカだというのはちょっと意外かもしれない。AIが人間の言葉の微妙なニュアンスを人間と同じくらい（または人間以上に）正しく理解できるとか、近い将来AIが人間の仕事の大半を奪うことになる、と企業が主張するのをよく聞く。もうすぐAIをそこらじゅうで見かけるようになるだろう、と予測する企業のプレスリリースもある。ある意味では、どちらも正しいし、完全に的外れだともいえる。

実際、AIはすでにそこらじゅうにいる。AIはユーザーが見る広告を決めたり、動画を提案したり、ソーシャル・メディア・ボットや悪意のあるWebサイトを検出したりして、わたしたちのオンライン体験を形づくっている。企業は、AIによる履歴書スキャナーを使って、面接する候補者を決めたり、AIを用いてローンの承認の可否を判定したりしている。自動運転車に搭載されたAIは、すでに何百万マイルも走行している（緊急時には人間の手を借りながら）。AIはスマホにも搭載されていて、音声による指示を認識したり、写真の顔に自動でタグをつけたり、動画内の人物にウサギの耳をつけたりしている。

でも、わたしたちは経験から、身のまわりのAIが完璧とはほど遠いことをよく知っている。購入ずみの靴の広告をいつまでもブラウザーに表示しつづける広告配信システム。明らかな詐欺メールを素通りさせたかと思うと、肝心なときにかぎって大事なメールを迷惑フォルダーに振り分けてしまうスパム・フィルター。

　わたしたちの日常生活がどんどんアルゴリズムに制御されるにつれ、AIの奇妙な行動は単なる「不便」ではすまされない影響を及ぼしはじめている。YouTubeに内蔵された推奨アルゴリズムは、視聴者をいまだかつてないほど偏ったコンテンツへと誘導するようになった。恐ろしいことに、主流のニュースからたったの数クリックで、ヘイト集団や陰謀理論家の動画へと簡単にたどり着いてしまう[1]。仮釈放、ローン、履歴書を審査するアルゴリズムは、中立公正などころか、人間と同じくらい、場合によってはそれ以上に不公平なこともある。監視AIは、賄賂こそ受け取らないけれど、求められた仕事に対して道義的な異議を唱えることもないし、悪用やハッキングがなされた場合にミスを犯すこともある。実際、小さなシールひとつで、画像認識AIが銃をトースターと見まちがえたり、たった1種類のマスター指紋で、低セキュリティの指紋リーダーが77％以上の確率でまんまとだまされたりしてしまう事例が研究者たちによって続々と報告されている。

　多くの人がAIを実際よりも有能に見せかけ、SF世界でしかありえないような離れ技ができると主張している。本当はAIの行動にはかなりのバイアスがあるのに、AIは中立公正だと吹聴する人もいる。また、AIが行っているとみんなが思っているものは、実際には人間が裏でこっそりと行っているケースも多い。この地球で暮らす消費者および市民として、偽の情報にだまされることだけはなんとしても避けなければならない。わたしたちのデータがどのように使われているのか、わたしたちの使っているAIに何ができて何ができないのかをきちんと理解しておくこ

とは、この時代に生きる人間の責務なのだ。

　わたしはブログで、AIを使った面白実験にかなりの時間を費やしている。AIに口説き文句のような一風変わったものを学習させることもあるし、無理難題をふっかけることもある。あるとき、『スター・ウォーズ』シリーズに登場するダース・ベイダーの写真を画像認識アルゴリズムに見せ、「これは何?」と訊いてみた。すると、AIはダース・ベイダーを木だと言い張り、わたしを説得しようとしてきた。これまでの実験から、ごくごく簡単な課題でも、AIはまるでいたずらをしかけられたみたいに失敗してしまう場合があることがわかった。でも、AIにいたずらをするのはタメになる。AIに課題を与え、失敗する様子を観察するのは、AIを知る最高の手段といえるだろう。

　実際、本書でこれから見ていくように、AIアルゴリズムの内部の仕組みはあまりにも複雑怪奇なことが多い。なので、AIが何を理解しているのか、そして何をひどく誤解しているのかを知るには、AIの返す出力を見るよりほかにないこともある。AIにネコの絵を描いたり、ジョークを考えたりするよう指示すると、AIは指紋の認識や医療画像の分類を頼んだときと同じ種類のまちがいを犯す。ただし、ネコに6本の脚があったり、ジョークにオチがなかったりすれば、何かがおかしいと一目でわかるし、おまけに大笑いできる。

　AIを住み慣れた仮想世界から複雑な人間社会へと引っ張り出すため、わたしはAIに小説の冒頭の一文を書かせたり、ふつうとはちがう場所にいるヒツジを認識させたり、料理のレシピやモルモットの名前を考えさせたりしてみた。その結果はたいていさんざんだった。でも、そうした実験から、AIの得意分野と苦手分野、そしてわたしたちの生きているあいだにはたぶん実現しそうにないことがわかってきた。

　これまでにわかったことは、次のとおりだ。

AIのおかしな行動に見られる5つのパターン

　・AIの危険性は、AIが賢すぎるという点ではなく、むしろわたし

たちが期待するほど賢くないという点にある。

・AIの頭脳はミミズ並み。

・AIは人間が解決したがっている問題をきちんと理解していない。

・ただし、AIは人間に言われたとおりのことを実行する。少なくとも、精一杯実行しようとする。

・そして、AIはいちばんラクな道を選ぶ。

　この5つの法則を念頭に置いて、いよいよAIの摩訶不思議な世界へとご案内しよう。

　AIとはなんなのか？　そして何ではないのか？　何が得意なのか？　どこで毎回つまずいてしまうのか？　未来のAIが『スター・ウォーズ』のC-3POよりも昆虫の群れに近いのはなぜ？　世界がゾンビだらけになったとき、自動運転車で逃げないほうがいいのはなぜ？　サンドイッチの仕分けAIのテストに参加しないほうがいいのはなぜ？　歩行AIがどうしても歩いてくれないのはなぜ？

　この先を読めば、AIの仕組みや思考回路、そしてAIが世界をより奇妙な場所へと変えつつある理由がきっとわかると思う。

AIってなあに？

君、AIだろ！　早くバル・パンダ銀河
系までのワープ座標を計算してよ！

おっと、ボクはそういうAIじゃない。
ロボット・スーツを着たただの人間だよ。
うーん、気まずいな……。

　AIがそこらじゅうにいるように思えるなら、それは「人工知能（AI）」
という単語の意味があまりにも広すぎるからだ。あなたがSFを読んでい
るのか、新しいアプリを売りこもうとしているのか、学術研究をしてい
るのかによって、AIという言葉の指す意味合いは変わってくる。AI搭載
のチャットボットと聞いて、何を思い浮かべるだろう？　『スター・
ウォーズ』シリーズに登場するロボットC-3POのように、意見や感情を
持つチャットボット？　それとも、特定の質問に対して人間ならどう返
答するかを推測するアルゴリズム？　または、相手の質問に出てくる単
語と事前に作成された回答文を結びつけるスプレッドシート？　遠く離
れた場所で回答を手入力するアルバイトの人間？　あるいは、劇の登
場人物みたいに、あらかじめ人間が書いておいたセリフを人間とAIが
かわりばんこに読みあうだけの台本つきの会話だろうか？　まぎらわし

いことに、これらは世の中ではみんなAIと呼ばれている。

　そこで本書では、話をわかりやすくするため、「AI」という用語を今日のプログラマーが主に使っている意味で使いたいと思う。つまり、機械学習アルゴリズムと呼ばれる特定の形式のコンピューター・プログラムのことだ。次の表は、本書で使う用語をまとめたものだ。先ほどの定義と照らしあわせて、それぞれの用語がAIに該当するかどうかを示してある。

一般にAIと呼ばれているもの

本書でAIと呼ぶもの

・機械学習アルゴリズム
・ディープ・ラーニング
・ニューラル・ネットワーク
・再帰型ニューラル・ネットワーク
・マルコフ連鎖
・ランダム・フォレスト
・遺伝的アルゴリズム
・敵対的生成ネットワーク
・強化学習
・入力予測
・魔法のサンドイッチ仕分けマシン
・不幸な殺人ボット

本書に登場するが、AIと呼ばないもの

・SF小説に出てくるAI
・ルールベース・プログラム
・ロボット・スーツを着た人間
・台本を読むだけのロボット
・AIのふりをするアルバイトの人間
・知覚を持つゴキブリ
・幻のキリン

おっと

モー

　本書で「AI」と呼んでいるものは、すべて機械学習アルゴリズムでもある。そこで、まずは機械学習アルゴリズムとはどういうものなのかについて話をしよう。

トントン、どなた?

　世の中で使われているAIを見つけるには、まず**機械学習アルゴリズム**（本書でいうAI）と従来型のプログラム（プログラマーのいう**ルールベース・プログラム**）のちがいを知ることが重要だ。初歩的なプログラミングを

行ったり、HTMLを使ってWebサイトを設計したりした経験がある人なら、ルールベース・プログラムを使用したことがあるだろう。コンピューターが理解できる言語で一連のコマンド（つまりルール）を作成し、コンピューターはあなたに言われたとおりのことを実行する。ルールベース・プログラムを使って問題を解決するには、課題を完了するまでに必要な全手順と、一つひとつの手順を記述する方法、そのふたつを完璧に把握しておかなければならない。

しかし、一方の機械学習アルゴリズムは、プログラマーの指定した目標に対する到達度を測定しながら、試行錯誤を通じてみずから目標達成のためのルールを発見していく。目標は、たとえば入力された例のリストをまねることかもしれないし、ゲームの得点を向上させることかもしれない。AIは目標達成を目指す過程で、プログラマー本人すら存在すると知らなかったルールや相関関係を発見していく。AIのプログラミングは、コンピューターのプログラミングというよりも、子どもの教育に似ているといえばわかりやすいだろう。

▶ **ルールベース・プログラミング**

より一般的なルールベース・プログラミングを用いて、コンピューターに「ノックノック・ジョーク」を教えるとしよう。真っ先にやるべきことは、すべてのルールを把握することだ。ノックノック・ジョークの構造を分析してみると、次のような基本的形式を持つことがわかる。

> Knock, knock.（トントン。）
> Who's there?（どなた？）
> ［Name］（［名前］よ。）
> ［Name］who?（どちらの［名前］さん？）
> ［Name］［Punchline］（［名前］＋［オチ］）

いったんこの形式を固定してしまうと、プログラムが制御できる変数

はたったのふたつ ── ［名前］と［オチ］にかぎられる。あとは、このふたつの項目を生成するだけの問題になった。それでも、このふたつの項目を生成するためのルールが必要だ。

　有効な名前とオチの例をいくつか挙げてみよう。

名前	オチ
Lettuce	in, it's cold out here! （入れてよ ［Let us in］、寒くて死にそうだ！）
Harry	up, it's cold out here! （早くして ［Hurry up］、寒くて死にそうだ！）
Dozen	anybody want to let me in? （だれか入れてくれない？ ［Doesn't anybody...］）
Orange	you going to let me in? （入れてくれないかな？ ［Aren't you going...］）

　リストから［名前］と［オチ］の組を選んで、先ほどのテンプレートにあてはめれば、コンピューターでもノックノック・ジョークをつくれる。といっても、これは新作のノックノック・ジョークをつくるのではなく、すでにあるジョークをただ返すだけのプログラムだ。もう少し面白くするため、［寒くて死にそうだ！］の部分を［ウツボが襲ってきたんだ！］や［じゃないと口なしお化けに変身しちゃうぞ］など、別のフレーズに置き換えることもできる。すると、このプログラムは新しいジョークをつくれるようになる。

　　Knock, knock.（トントン。）
　　Who's there?（どなた？）
　　Harry.（ハリーだよ。）
　　Harry who?（どちらのハリーさん？）
　　Harry up, I'm being attacked by eels!（早くして、ウツボが襲って

きたんだ!）

　また、［ウツボ］の部分を［怒ったハチ］や［巨大エイ］などに置き換えてもいいだろう。そうすれば、コンピューターにもっとたくさんの新作ジョークをつくらせることができる。ルールさえしっかりしていれば、何百種類ものジョークをつくれるのだ。

　もっと洗練されたジョークをつくらせたいなら、より高度なルールの構築に時間をかけることもできるだろう。すでにあるダジャレのリストを見つけて、それをオチの形式に変換する方法を考えることもできるし、コンピューターがそれらを組みあわせて面白いダジャレをつくれるように、発音規則、韻の踏み方、同音異義語、文化的背景などをプログラミングすることもできる。うまくいけば、だれも思いつかなかった新作ダジャレをコンピューターにつくらせることができるだろう。（ただし、実際に試した人によると、アルゴリズムの生成した文章は、古風であいまいな単語や語句のオンパレードで、理解できる人はほとんどいなかったらしい。）しかし、わたしのつくったジョーク生成ルールがどれだけ高度であっても、コンピューターにジョークのつくり方を具体的に指示しているという点に変わりはない。それがルールベース・プログラミングと呼ばれるゆえんだ。

▶ AIをトレーニングする

　一方、AIにノックノック・ジョークをつくらせるためのトレーニングを行うときは、わたしがルールを考えたりはしない。AIに自分でジョークづくりのルールを導き出してもらうのだ。

　わたしがするのは、すでにあるノックノック・ジョークのリストを渡して、「これらがジョークの例だ。同じようなジョークをもっとつくりなさい」と指示することだけだ。そして、わたしがAIに与えるジョークづくりの材料とは?　ランダムな文字と句読点のセットだ。

　そうして、わたしはコーヒーを淹れに部屋を出る。

　すると、AIがさっそく仕事に取りかかる。

AIが真っ先に行うのは、ノックノック・ジョークに出てくるいくつかの文字を推測することだ。この段階では100%ランダムに推測を行うので、最初の推測は完全にめちゃくちゃな場合もある。たとえば、「qasdnw,msne?msod.」とかいう文章を推測したとしよう。AIにしてみれば、これも立派なノックノック・ジョークのひとつなのだ。

　　次に、AIは実際のノックノック・ジョークを観察する。たぶん、自分のつくったジョークとは似ても似つかないことに気づくだろう。「フムフム、ナルホドネ」とAIは言い、次回はもう少し正確に推測できるように自分のジョークの構造を微調整する。AIは新しい文章を見るたびにそれを記憶するようにはできていないため、ジョークの進化していくスピードには限度がある。でも、最小限の調整により、AIはkとスペースばかりを推測していれば、少なくとも一定の確率でサンプルのジョークと一致することに気づく。ある程度の数のノックノック・ジョークを調べ、一連の修正を終えると、AIの考えるノックノック・ジョークはこんなふうになるだろう。

```
    kkk   k   k
  kk   k kkkok
k kkkk
k

kk
  kk   k   kk

keokk   k

   k
   k
```

もちろん、世界最高のノックノック・ジョークでないことは認めよう。でも、これを出発点として、AIは実際のノックノック・ジョークの例を2巡目、3巡目と分析していく。そのたびに、自分のつくるジョークの形式を少しずつ調整し、推測を改善していく。

　推測と自己調整をあと何巡か繰り返すと、このAIは少しずつルールを理解しはじめ、ときどき文末に疑問符を使うことを学んだ。母音（特にo）の使い方を覚え、アポストロフィーまで使おうとしている。

```
noo,
Lnoc noo
Kor?
hnos h  nc
pt'b oa to'

asutWtnl
toy nooc
doc kKe
w ce
e
```

　AIが導き出したノックノック・ジョークづくりのルールは、実際のルールとどれくらい一致しているだろう？　まだ何かが足りないようだ。

　及第点のノックノック・ジョークをつくれるようになるには、文字の順序についてのルールを導き出す必要がある。例によって、AIはまず推測を立てる。oのあとには必ずqが続くんじゃない？　どうやら、この推測はあまり正しくないとわかる。じゃあ、oの後にはckが続くことが多いかも？　大当たり。これで少し進歩した。AIの考える完璧なノックノック・ジョークを見てみよう。

Whock

Whock

Whock

Whock

Whock Whock Whock

Whock Whock

Whock

Whock

　あれれ、これではノックノック・ジョークとはいえない。まるでニワトリか何かの鳴き声みたいだ。もう少しルールを探り出す必要がある。

　AIは再びデータセットを観察する。より実際のノックノック・ジョークの例と一致する文字の組みあわせを探すため、新しい「ock」の使い方を試していく。

nooc hock hork

aKoo kWhoc

Khock

hors Whnes Whee

noo oooc

Koo?

loo

noc no'c Wno h orea

ao no oo k KeockWnork Koos

Thoe

nock K ock

Koc

hoo

KKock Knock Thock Whonk

ここまで進歩するのにたったの数分しかかからない。わたしがコーヒーをそそいだカップを持って部屋に戻ってくるころには、AIは「Knock Knock / Who's There？（トントン／どなた?）」で始めると、実際のノックノック・ジョークの例にぴったりと一致することにすでに気づいたようだ。そこで、AIはこのルールを毎回採用することにした。

　ところが、残りの形式を理解するのにはそうとうな時間がかかるらしく、AIはひとり伝言ゲームをえんえんと続けるようになる。いわば、「Who's on First?（一塁手はダレ?）」という定番コントのロボット版だ［訳注／「アボットとコステロ」というアメリカのお笑いコンビのネタで、野球の一塁手の名前が「ダレ（Who）」であるばっかりに、会話の相手が「だれ」と訊いているのだと思いこみ、噛みあわない会話がえんえんと続く］。

Knock Knock
Who's There?
Iane
Aatar who?
Aaane who?
Aan who?
Anac who?
Iobe who?
Irata who?

　少しして、AIは残りの形式を導き出すけれど、まだ実際の単語の意味を理解してはいないようだ。

Knock Knock
Who's There?
Bool

> Hane who?
> Scheres are then the there

ついついオチが長くなってしまうこともある。

> Knock Knock
> Who's There?
> Cheed
> I?len who?
> Ita gee the lasd emotory oud ane weonges oak anet ane
> tee soore theis onithit the where your thasg tate
> tine if thele ter the theung!

トレーニングの途中で、AIは「唇のない牛」についてのジョークを学習したらしく、このジョークはAIの鉄板ネタになる。知らない人のために言っておくと、唇のない牛についてのジョークはこんな感じだ。

> Knock, knock.（トントン。）
> Who's there?（どなた？）
> A cow with no lips.（唇のない牛よ。）
> A cow with no lips who?（どちらの唇のない牛さん？）
> A cow with no lips says ooo ooo ooooooo.（唇のない牛は「オー、オー、オー」って鳴くの。）

AIから見ると、これは最高の冗談らしい。しばらくのあいだ、AIはど・ん・な・ジョ・ー・ク・も「ooo ooo ooooooo」で終わると考えていた。

> Knock Knock
> Who's There?

Alec

Anic who?

Wow co poo the tho tho door to the soout oo ooo oooo

ooo oo oo oo oo oo ooo oo oo oo ooo ooo oooo ooo ooo oo

oo ooo ooo ooo ooo ooo oo oo ooo ooo ooo ooo oo oo

oo ooo ooo ooo ooo …

　どうやらルールをひとつ見つけたみたいだ。結局は、「唇のない牛」のルールをオチで使う頻度を（たぶんしぶしぶ）減らしたけれど、AIのジョークは相変わらず問題が山積みだった。まるで、どちらがジョークを言っているのかも忘れて、ノイズのひどい電話回線でふたりがノックノック・ジョークを言いあっているようなものだった。

Knock Knock

Who's There?

Alther

Water who?

Water who who?

Who who?

Arton and out on the moor?

　しばらくすると、AIはようやくノックノック・ジョークの構造を理解し、形式だけは正しいけれど意味不明なジョークをつくりはじめる。その多くは、トレーニング・データセットにあるジョークを部分的にパクったものだ。

Knock Knock （トントン）

Who's There? （どなた？）

Robin （ロビンだよ）

Robin who?　（どちらのロビンさん？）

Robin you!　Git me and I'm leaving（ロビン・ユー！　つかまえて
くれ、もう帰る）

Knock Knock（トントン）

Who's There?　（どなた？）

Bet（ベットよ）

Beef who?　（どちらのビーフさん？）

Beef ano with no lips aslly.（あのぉ、唇のないビーフだよ、ヘンな
の。）

Ireland（アイルランドだよ）

Ireland who?（どちらのアイルランドさん？）

Ireland you money, butt.（アイルランド・ユー・マネーだ、アホ。）

　そうして、ついに完成した──正真正銘のジョークが。データセッ
トからパクることなく、AIが自力でジョークを考え出したのだ。しかも、
それは意味が通じるだけでなく、ちょっと笑えるかも？

Knock, knock（トントン）

Who's there?（どなた？）

Alec（アレックだよ）

Alec who?　（どちらのアレックさん？）

Alec- Knock Knock jokes.（アレック・ノックノック・ジョークです。）

　突然、AIはノックノック・ジョークの意味や英語の韻の踏み方を理
解したのだろうか？　データセットがものすごく小さかったことを考える
と、その可能性は低いだろう。むしろ、どの文字でも好きなように組
みあわせることが許されていたおかげで、新しい音の組みあわせをあれ

これと試すことができ、そうしているうちに偶然まともなジョークが生まれたというところだろう。つまり、どちらかというと、この結果は未来型のAIお笑い劇場がつくれる証拠というよりは、無限の猿定理[*]の勝利といったほうが近い。

AIに自分でルールを考えさせることにはメリットがある。それはたったひとつのやり方（「はい、これがデータだ。再現する方法を考えてみなさい」）が、数多くの問題に使い回せるという点だ。ジョーク生成アルゴリズムに、学習材料としてノックノック・ジョークではなく別のデータセットを与えていたら、代わりにそのデータセットを再現する方法を学んだだろう。

たとえば、AIは新種の鳥を生み出すこともできる。

Yucatan Jungle-Duck（ユカタンジャングルダック）
Boat-billed Sunbird（ヒロハシタイヨウチョウ）
Western Prong-billed Flowerpecker（セイヨウエダハシハナドリ）
Black-capped Flufftail（ズグロフラッフテール）
Iceland Reedhaunter（アイスランドヌマカマドドリ）
Snowy Mourning Heron-Robin（シロナゲキサギコマドリ）

新しい香水の名前も。

Fancy Ten（ファンシー・テン）
Eau de Boffe（オー・ド・ボッフェ）

---

[*] サルがタイプライターでえんえんとランダムに文字を打ちつづければ、やがてはシェイクスピアの作品でさえまるまる再現されるという古くからの定理のこと。総あたり式で問題の解を探すという"力ずく"の手法を見事に表現している。AIを使って問題を解決するというのは、このやり方を改良したものだ。あくまで、概念上は、だけれど。

Frogant Flower（フロガント・フラワー）
Momite（モーマイト）
Santa for Women（サンタ・フォー・ウィメン）

　さらには、新しいレシピまで。

基本のアサリ砂糖衣
主菜、スープ

鶏肉　450グラム
豚肉（角切り）　450グラム
ニンニク（クラッシュしたもの）　1/2かけ
セロリ（スライス）　1カップ
頭部　1個（約1/2カップ）
電動ミキサー　大さじ6
黒コショウ　小さじ1
玉ネギ（みじん切り）　1個
ビーフ・ブイヨンと果物用のオウィンル　3カップ
挽きたてのハーフ・アンド・ハーフ1個と、それに見合う水

　裏ごししたレモン汁とレモン・スライスを2.8リットル・サイズの
鍋に入れる。
　野菜を加え、鶏肉をソースに加え、玉ねぎとよく混ぜる。ロー
リエ、赤トウガラシを加え、ゆっくりと蓋をして、蓋をしたまま3
時間煮こむ。煮こんだもののなかにジャガイモとニンジンを加え
る。ソースが沸騰するまで加熱する。パイを添えて食卓へ。
　ライスしたピースによってデザートが調理されたら、次に中華鍋
の上で調理する。
　飾りつけを行い、最大30分間冷蔵庫で冷ます。

分量：6人前

ＡＩに自分の頭で考えさせる

　一連のノックノック・ジョークの例を与えられただけで、それ以上なんの指示も受けなかったのに、AIは本来人間が手動でプログラミングするしかないような数々のルールを自力で発見することができた。そのなかには、わたしがとうてい思いつきもしないようなルールや、存在することすら知らなかったルールもあった（たとえば、「唇のない牛は最高のジョークだ」というルールはそのひとつ）。

　この点こそ、AIが問題解決の達人たるゆえんであり、ルールがものすごく複雑な場合や、単純によくわからない場合にとりわけ便利なところだ。たとえば、AIはよく画像認識に使われる。画像認識は、通常のコンピューター・プログラムではすんなりとはいかない驚くほど複雑な課題だ。人間の場合、写真のなかのネコを見分けるのはワケもないけれど、「じゃあネコを定義するルールは？」と訊かれると、とたんに答えにつまってしまう。目がふたつ、鼻がひとつ、耳がふたつ、尾が1本あるのがネコだと教えればいいだろうか？　この定義だとネズミやキリンも含まれてしまう。それに、ネコが丸まったり、そっぽを向いたりしていたら？　だいたい、ひとつの目玉を検出するルールを記述すること自体、かなり難しい。でも、AIは何万枚というネコの写真を見ていくうちに、かなりの精度でネコを見分けられるルールを導き出すことができるのだから本当に不思議だ。

　時には、プログラムのごく一部だけがAIで、残りはルールベースのスクリプトであることもある。たとえば、顧客が銀行に電話し、口座情報を照会できるプログラムについて考えてみよう。顧客のしゃべった声をヘルプラインのメニューと結びつけるのは音声認識

AIの仕事だけれど、実際に電話主がアクセスできるメニューのリストと、ある口座がその顧客のものであるかどうかを識別するコードを制御するのは、プログラマーが書いたルールだ。

　また、最初はAIが応対にあたるものの、状況が複雑になると人間にバトンタッチするプログラムもある。この手法は疑似AIと呼ばれる。カスタマー・サービス向けのチャット・ウィンドウの一部は、まさにそういう仕組みになっている。ボットとの会話中、顧客が混乱するような行動を取ったり、顧客がイライラしていることにAIが気づいたりすると、急に人間のオペレーターに電話が転送されることがある。（毎回、混乱した顧客やイライラしている顧客に対応させられるオペレーターにとっては、たまったものじゃないが。最初から「人間と話す」というメニューを用意しておくほうが、顧客とオペレーターの両方にとっていいのかもしれない。）それから、現在の自動運転車も同じような仕組みになっている。AIが動揺した場合に備えて、運転手がいつでも運転を代われるよう待機しておかなければならないのだ。

　AIはチェスのような戦略ゲームも得意だ。チェスの場合、可能な駒の動きをすべて記述するのは簡単だけれど、次の最善手を導き出すための法則を記述するのは難しい。チェスは次の手の候補がたくさんあって複雑なゲームなので、グランドマスターでさえ、ある局面における最善手を確実に予測できるルールを導き出すことなんてとうていできないだろう。でも、アルゴリズムは何百万回と自己対戦を繰り返し（どんなに研究熱心なグランドマスターでもそこまでの対戦経験はない）、勝利の法則を導き出す。AIは明確な指示を受けずに学習していくので、AIの導き出す戦略は人間の常識を飛び越えてしまうこともある―― 時にはあまりにも大きく。

　AIに有効な手を教えてやらないと、AIはゲームを完全に台無しにしてしまうような不可思議な抜け穴を見つけ、悪用することがある。たとえば、1997年、数名のプログラマーが無限の広がりを持つ盤面上で

○×ゲーム（3目並べ）の対戦ができるアルゴリズムを開発した。あるプログラマーは、ルールベースの戦略を設計する代わりに、独自の作戦を進化させていくことのできるAIをつくった。驚いたことに、そのAIはある時点から急に連戦連勝しはじめた。いったいどうやったのか？

○×の印を対戦相手からものすごく遠い位置につけたのだ。相手のコンピューターが急激に広がった盤面を再現しようとしたとたん、メモリ切れを起こしてクラッシュし、自動的に不戦敗になったというわけだ[1]。

ほとんどのAIプログラマーには、アルゴリズムが予想外の解決策をひねり出してきてびっくり仰天した経験があるはずだ。当然、そのなかには独創的な解決策もあれば、問題のある解決策もある。

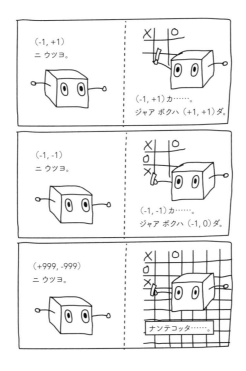

基本的に、AIは学習材料となるデータと目標さえ与えられれば、目

標に向かってまっしぐらに走りだす。目標が人間の下したローン審査の判断をまねることであれ、顧客がある靴下を買うかどうかを予測することであれ、ビデオ・ゲームのスコアやロボットの移動距離を最大化することであれ、AIは試行錯誤を通じて目標達成に役立つルールを導き出すのだ。

ルールが的外れなこともある

AIの導き出したすばらしい問題解決のルールが、蓋を開けてみるとまちがった前提に基づいていた、というケースもある。たとえば、わたしのもっとも奇妙なAI実験のひとつに、Microsoftの画像認識ソフトを使ったものがある。好きな画像を送信すると、AIが自動的にタグとキャプションをつけてくれるというソフトだ。雲、地下鉄の車両、スケボーで大技を決めている子ども、といった具合に、ほとんどの画像は正しく認識される。そんなある日、わたしはAIが返してくる結果を見ていて不可解な点に気づいた。どこをどう探してもヒツジなんて見当たらない写真に、ヒツジというタグをつけていたのだ。よくよく調べてみると、ヒツジが実際にいるかどうかとは関係なく、緑の草原が広がる風景にヒツジを認識する傾向があることがわかった。なぜこうも同じエラーばかりが続くのだろう？　もしかすると、トレーニングの最中、このAIは草原のような場所にいるヒツジの写真ばかりを見せられたせいで、「ヒツジ」というキャプションが動物ではなく草原の風景を指していると誤解したのかもしれない。つまり、AIは目のつけどころをまちがえていたのだ。案の定、草原以外の場所にいるヒツジの例を見せると、AIはしょっちゅう混乱した。たとえば、車内にいるヒツジの写真を見せると、AIは犬やネコというラベルをつける傾向があった。リビングにいるヒツジや、人間が抱いているヒツジを見せても、やっぱり犬やネコと分類した。そして、ひもにつながれているヒツジは犬と認識した。ヤギについても似たような問題が起きた。木に登ったヤギ（実際、登ることがある）はキリ

ンや鳥と認識したのだ。

草原で草を食べているヒツジの群れ　　　　　　草原で草を食べているヒツジの群れ

　確かなことは言えないけれど、たぶんAIは「緑色の草＝ヒツジ」「車内やキッチンにある毛皮状のもの＝ネコ」とかいうようなルールを導き出したのだろう。こうしたルールはトレーニングのなかではうまく機能していたが、いろいろな場所にいる実世界のヒツジを前にすると、まったく歯が立たなかった。

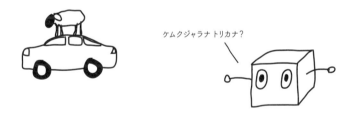

ケムクジャラナ トリカナ?

　こうしたトレーニングのエラーは、画像認識AIでは日常茶飯事だけれど、時には深刻な影響を及ぼすこともある。スタンフォード大学のあるチームは、AIに健康な皮膚の写真と皮膚がんの写真を見分けさせるトレーニングを行った。ところが、AIのトレーニングが終わると、研究者はとんでもないことに気づいた —— AIは誤って定規を腫瘍と認識するようになっていたのだ。なぜか？　トレーニング・データに含まれていた腫瘍の多くは、大きさがわかるよう、隣に定規を並べて撮影されて

いたからだ[2]。

ルールちがいを見つけるには

AIがルールを勘違いしたとき、それを見分けるのは決してやさしくない。人間がルールを記述しているわけではないので、AIは自力でルールを導き出すことになる。当然、AIはそうして導き出したルールを人間のように書き出したり、口に出して説明したりはしてくれない。代わりに、AIは自身の内部構造に対して複雑な調整を行い、一般的なフレームワークを個別の課題に特化したものへと変える。一般的な食材から始めて、最終的にクッキーをつくるのと似ている。ルールは、AIの仮想的な脳細胞どうしを結ぶ接続のなかに保管されていることもあれば、AIという仮想生物の遺伝子のなかに保管されていることもある。ルールは複雑なこともあれば、広範囲に広がっていることもあるし、奇妙な形でからみあっていることもある。AIの内部構造について研究するのは、脳や生態系について研究するのとよく似ている。それがどれだけ複雑かは、神経科学者や生態学者でなくてもわかるだろう。

AIがどのように判断を下すのかについては、今もなお研究が続けられているけれど、一般論として、AIの内部ルールが実際にどういうものなのかを知るのは難しい。単純にルール自体が難解だからというケースも多いけれど、特に商用や政府官庁のアルゴリズムの場合には、アルゴリズム自体が機密にされているからだ。なので、残念ながら、実世界ですでに使われているアルゴリズムの下す判断に問題が見つかることはしょっちゅうある。人々の人生に影響を及ぼし、実害を引き起こしてしまうケースもあるのだ。

たとえば、囚人の仮釈放の審査に使われていたAIは、トレーニング・データに含まれていた人間の人種差別的な行動を知らず知らずのうちにまね、不公平な判断を下していることがわかった[3]。バイアスとは何かを理解していなくても、AIがバイアスを持つことはありえるのだ。

結局のところ、多くのAIは人間をまねることで学習していく。AIが答えようとしているのは、「何が最善か？」という疑問ではなく、「人間ならどうするか？」という疑問なのだ。

バイアスを体系的にテストすれば、実害が生じる前によくある問題の芽を摘み取っておくことができる。でも、ここにもうひとつの難問がある――実際に問題が起こる前に問題を予測し、あらかじめ回避するようなAIを設計するには、どうすればいいだろう？

ＡＩが大惨事をもたらす４つの兆候

AIが生み出す大惨事と聞いて、どんなことを思い浮かべるだろう？人間の命令に逆らうAI。全人類を殺害するのが最善だと判断するAI。殺戮ロボットをつくり出してしまうAI。きっとそんなところだろう。こうした大惨事のシナリオは、AIが一定レベルの批評的思考の能力や人間と同じような世界の知識を備えているという前提で描かれている。でも、そんなAIは近い将来に実現しそうもない。機械学習研究の第一人者であるアンドリュー・エンは、AIによる世界征服について心配するのは、火星の人口過密について心配するようなものだと述べている[4]。

とはいえ、今日のAIがなんの問題も引き起こさないのかといえば、そんなことはない。プログラマーをちょっぴり困らせるような些細な問題から、偏見の助長や自動運転車の事故といった深刻な問題まで、今日のAIはまったく人畜無害なわけではない。しかし、AIについて少し勉強すれば、そうした問題の到来に備えられる。

そこで、今日のAIがどのようにして大惨事を引き起こすのかを見てみよう。

たとえば、シリコンバレーのある新興企業が、求職者の選考の手間を浮かせるソフトウェアを販売しているとしよう。短い面接動画を分析するだけで、優秀な人材を自動で特定できるのだという。これは魅力的な商品だ。企業は自社にぴったりな人材を見つけるためだけに、多

くの時間とリソースを費やして何十人もの候補者を面接する。ソフトウェアなら決して疲れることもないし、お腹を空かせることもない。それに、個人的な恨みも抱かない。しかし、この新興企業が実際にはAIによる大惨事を生み出そうとしているとしたら？　その警告サインとはどんなものだろう？

▶ 警告サイン1：問題が厄介すぎる

　優秀な人材を雇うのは本当に難しい。人間でさえ、優秀な候補者を見分けるのには四苦八苦する。この候補者は本当にここで働くことにワクワクしているのか？　それともそう思っているフリがうまいだけなのか？　障害の有無や文化のちがいについてちゃんと考慮したか？　ここにAIが加わると、問題はいっそう難しくなる。AIがジョーク、口調、文化的な言及の微妙なニュアンスを理解することなんて、ほぼ不可能だ。そして、候補者がその日に起きた出来事について話した場合はどうなるだろう？　AIが前年に収集されたデータに基づいてトレーニングされていた場合、候補者の話を理解できる可能性はゼロだ。最悪の場合、話が支離滅裂だからといってその候補者の評価を下げてしまうかもしれない。求職者を審査するAIは、幅広いスキルと膨大な量の情報を備えていなければならない。それができなければ、なんらかの惨事が起きることはまちがいなしだ。

▶ 警告サイン2：問題が人間の考えていたものとちがう

　わたしたちに代わって候補者を審査してくれるAIを設計するうえで厄介なのは、AIに求められているのが、実際には最良の候補者を選ぶことではないという点だ。むしろ、人間の採用責任者が過去に気に入った候補者にいちばん近い候補者を見つけ出すよう求められているにすぎない。

　人間の採用責任者が過去にすばらしい決断ばかり下してきたなら何も問題はないかもしれない。でも、ほとんどの米国企業は、多様性

に問題を抱えている。特に、管理者の人選や、採用責任者による履歴書の評価方法や候補者の面接方法には大きな偏りがある。ほかの条件がすべて等しければ、白人男性っぽい名前が書かれた履歴書のほうが、女性っぽい名前やマイノリティっぽい名前が書かれた履歴書よりも、面接までこぎ着ける可能性が高くなる[5]。女性やマイノリティの採用責任者でさえ、無意識に白人男性の候補者を優遇する傾向があるのだ。

　ある問題を解決するためのAIを設計していたつもりなのに、知らず知らずのうちにまったく別の問題を解決するようトレーニングしてしまった結果、お粗末なAIプログラムや有害なAIプログラムを設計してしまうケースは意外に多いのだ。

▶ 警告サイン3：ずるい近道が存在する

　定規を皮膚がんと認識するようになったAIを覚えているだろうか？健康な細胞とがん細胞の細かなちがいを見分けるのはたいへんなので、AIはずるをして、写真のなかに定規を探すほうがよっぽど手っ取り早いと気づいたのだった。

　求職者を審査するAIに、バイアスの含まれる学習データを与えれば（そうとうな手間暇をかけてデータからバイアスを除去したのでもないかぎり、バイアスはほぼ確実にあるといっていい）、"最良"な候補者の予測精度を高める便利な近道をAIに与えてしまうことになる。白人の優遇だ。そのほうが候補者の言葉遣いの微妙なニュアンスを分析するよりもずっと簡単なのだ。あるいは、別の的外れな近道を見つけ、悪用することもあるだろう。たとえば、過去に採用された候補者を一台のカメラで撮影していたとする。すると、AIはカメラのメタデータを読み取り、そのカメラで撮影された候補者のみを選び出すことを覚えるかもしれない。

　AIはいつだってずるい近道をしようとする。単純に、それ以外の方法を知らないのだ。

▶ 警告サイン4：AIが学習に使ったデータに欠陥がある

コンピューター科学の世界には、こんな古い格言がある──ゴミを入れれば、ゴミしか出てこない（Garbage in, garbage out）。AIの目標が、欠陥だらけの判断を下す人間をまねることだとしたら、欠陥まで含めて人間の判断をそっくりそのまままねるのは、AIにとって成功以外の何物でもないだろう。

欠陥のあるデータは、それが欠陥のある学習材料であれ、奇妙な物理法則に従うシミュレーションであれ、AIを無限ループや誤った方向へと追いやる。多くの場合、サンプル・データというのは人間がAIに解決を求めている問題そのものなので、お粗末なデータからお粗末な解決策が生まれてしまうのは、ある意味当然のことだ。実際、警告サイン1〜3は、たいていデータに問題がある証拠なのだ。

失敗と成功の分かれ目はどこにあるのか

求職者の審査の例は、悲しいことにわたしのつくり話ではない。いくつもの企業が、すでにAIを使った履歴書や面接動画の審査サービスを提供している。でも、バイアスの除去、障害の有無や文化的なちがいの考慮、AIが審査プロセスに用いている情報の開示について、どんな対策を取っているかを明確にしている企業はほとんどない。細心の注意を払えば、少なくとも人間の採用責任者よりもはるかにバイアスの少ない求職者の審査AIを構築することはできるけれど、バイアスが少なくなったことを証明するデータがきちんと公開されていないかぎり、バイアスは残っていると考えてほぼまちがいないだろう。

AIによる問題解決が成功するか失敗するかは、ふつう、それがAIで解決するのにどれくらいふさわしい課題なのかと大きくかかわっている。事実、人間よりもAIを使って解決するほうが効率的な課題というのはたくさんある。その課題とは？　なぜAIはそういう課題を解決するのが得意なのか？　次章で詳しく見てみよう。

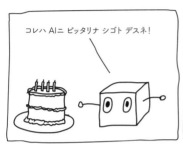

ウソみたいな本当の話

中国の西 昌市に、いろいろな意味で一風変わった飼育場がある。ひとつに、そこはその種類にしては世界最大の飼育場であり、圧倒的な生産高が自慢だ。1平方メートルあたり30万匹以上、年間60億匹ものペリプラネタ・アメリカーナを生産している[1]。さらに、生産高を最大限に高めるため、気温、湿度、エサの供給を自動的に管理し、ペリプラネタ・アメリカーナの遺伝子や成長率まで分析するアルゴリズムを用いている。

しかし、この飼育場が一風変わったものである最大の理由は別のところにある。実は、ペリプラネタ・アメリカーナというのは、ゴキブリの学名なのだ。そう、つまりそこはゴキブリ飼育場というわけだ。そこで生産されたゴキブリは、粉々にされて中国の伝統医学で貴重品とされる生薬に生まれ変わる。「ほんのりと甘く、魚っぽい匂い」と薬の

パッケージには書かれている。

このゴキブリ生産最大化アルゴリズムとはいったいどういうものなのか？　それは貴重な企業秘密なので、詳しい情報はほとんど見当たらない。でも、このシナリオは、哲学者のニック・ボストロムが提唱した「ペーパークリップの最大化AI」という有名な思考実験にとてもよく似ている。あるスーパーインテリジェントなAIは、ひたすらペーパークリップをつくりつづけることに専念している。絶対的な目標を与えられたそのAIは、あらゆる資源をペーパークリップづくりにつぎこむようになるか・もしれない。やがては、地球や人間さえもペーパークリップへとつくり替えることになるだろう。幸いなことに（先ほどから、ゴキブリの数を最大化するアルゴリズムについて話していることを考えると、非常に幸いというべきだけれど）、今日のアルゴリズムは、工場や農場を完全自動で運営するとかいうレベルには遠く及ばないし、ましてや世界経済全体をゴキブリの生産工場に変えるなんてのはおとぎ話に近い。たぶん、ゴキブリ生産最大化AIは、過去のデータに基づいて将来の生産率を予測し、ゴキブリの生産が最大になると考えられる環境条件を選んでいるのだろう。人間のエンジニアが設定した範囲内で、環境条件の調整を提案することはできるだろうが、データの取得、注文の処理、商品の荷降ろし、そして何より大事なゴキブリ・エキスの販売については、おそらく人間に頼りっぱなしなはずだ。

今に見てろよ……。

とはいえ、ゴキブリ飼育場の最適化はたぶんAIの得意分野だ。解

析すべきデータは山ほどあるけれど、アルゴリズムは巨大なデータセットのなかから傾向を見つけ出すのがうまい。たぶん人間には人気のない仕事かもしれないが、AIは反復的な単純作業や暗がりで何百万匹ものゴキブリがカサカサとうごめく音なんて苦にもしない。ゴキブリはあっという間に繁殖するので、変数調整の影響はすぐに現われる。そして、ゴキブリの数の最大化というのは、複雑で幅広い問題ではなく、むしろ具体的で幅の狭い問題だ。

　それでも、AIを使ってゴキブリの生産を最大化することには、問題が潜んでいないだろうか？　まちがいなく潜んでいる。AIは、自分が達成しようとしている課題の詳しい背景や理由をわかっていないので、人間には想像もつかない方法で問題を解決してしまうことがよくある。たとえば、ゴキブリAIが、ある部屋の気温と湿度の両方を"最大"にすると、その部屋で繁殖するゴキブリの数が大幅に増えることに気づいたとしよう。実際には、ゴキブリ部屋と従業員用のキッチンをつなぐドアの電気回線が熱と湿気でショートして、ドアが開いてしまい、エサが無尽蔵に手に入るようになったおかげでゴキブリが大繁殖しただけなのだが、AIにはそんなことは知るよしもないし、知ったこっちゃない。

　技術的にいえば、そのAIは仕事を忠実にこなしただけだ。そのAIの仕事は、あくまでもゴキブリの生産を最大化することであって、ゴキブリの脱走を防ぐことではなかった。AIをうまく使いこなし、問題が起こる前に予測するためには、機械学習がいちばん得意なことを理解しておく必要があるだろう。

この仕事なら、ロボットに任せてもかまわない

　機械学習アルゴリズムは、たとえ人間のほうがうまくできる仕事にも役立つ。量が多くて反復的な仕事にアルゴリズムを使えば、人間に同じことをさせる手間やコストを削減できる。もちろん、これは機械学習アルゴリズムにかぎった話ではなく、自動化全般に対していえることだ。

ルンバを使うことで部屋の掃除機がけの手間が省けるなら、ソファーの下から何度も救出するくらいの手間は喜んで我慢するだろう。

　AIによる自動化が進んでいる反復作業のひとつとして、医療画像の分析がある。検査技師は1日何時間もかけて血液サンプルを顕微鏡で観察したり、血小板、白血球、赤血球を数えたり、異常な細胞の組織サンプルを調べたりする。これらの作業はどれも単純で一貫性があり、自己完結しているので、自動化の絶好の候補になる。でも、このアルゴリズムが研究室を飛び出し、ミスが起きたときの影響がはるかに大きい実際の病院で使われはじめると、リスクはずっと高くなる。自動運転車にも同じような問題がある。運転はほとんどが反復作業なので、決して疲れない運転手がいれば大助かりだけれど、時速100キロメートルで走っている最中にほんの小さな不具合が起きただけでも、重大な結果を招きかねない。

　仕事の精度では人間に敵わないものの、わたしたちが喜んでAIに任せる大量作業のひとつに、スパム・フィルタリングがある。スパム攻撃は、刻一刻と変化しつづける微妙な問題なので、AIにとっては厄介だが、その反面、受信トレイがおおむねすっきりするなら、ほとんどの人はAIがたまに迷惑メッセージを見逃したとしても喜んで我慢するだろう。悪意のあるURLの警告、ソーシャル・メディアの投稿のふるい分け、ボットの検出は、ほとんどの人が多少のミスを許容する大量作業だ。

　ハイパーパーソナライゼーションも、AIが力を発揮しはじめているもうひとつの分野だ。企業はAIを使って、パーソナライズされた商品、映画、音楽の提案を行い、一人ひとりの消費者に合った体験を提供している。同じことを人間が行うのは、あまりにもコストがかかるので難しい。では、AIが廊下に敷くマットをえんえんと勧めてきたり、たった1回、知りあいに出産祝いのプレゼントを買ったからといって、わたしたちの家に幼児がいると勘違いしたりしたらどうする？　こうしたまちがいはほとんど無害だし（ものすごく不運なケースを除いて）、企業の売上にもつながる。

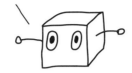

マエニ カッテ
コウカイシタ ホンニ ニテマスケド
コレモ カイマスカ？

　選挙やスポーツの結果、最新の不動産情報について、地域密着型の記事を書くことができる商用アルゴリズムもある。どのケースでも、アルゴリズムが書けるのはとても定型的な記事だけなのだが、人々は記事の内容のほうに興味があるので、定型的な文章でもそんなに気にはならないようだ。たとえば、スポーツのデータをニュース記事へと変えるワシントン・ポスト開発のアルゴリズム「ヘリオグラフ」(Heliograf)は、2016年時点で早くも年間数百本の記事を作成していた。あるアメフトの試合についての記事の一例を挙げてみよう[2]。

　　金曜日、クインス・オーチャード・クーガースは、アインシュタイン・タイタンズに47-0で完封勝ちした。
　　クインス・オーチャードは、アーロン・グリーンがパント・リターンをブロックし、8ヤードのタッチダウンを決めて先制点を獲得した。クーガースは、マルケス・クーパーが3ヤードのタッチダウン・ランを決めてリードを広げた。クーガースは、アーロン・ダーウィンが18ヤードのタッチダウン・ランを決めてさらにリードを広げた。クーガースは、ダーウィンがクォーターバックのドック・ボナーからの63ヤードのタッチダウン・レシーブを決めてまたもやリードを広げ、スコアを27-0とした。

　読んでいて楽しい記事ではないけれど、確かに試合の説明にはなっている[*]。データがつまったスプレッドシートといくつかのスポーツ関連

の定型表現をもとに、記事を埋めていくのだ。でも、ヘリオグラフのようなAIは、所定の空欄にきちんと収まらないような情報に直面すると、とたんに何もできなくなってしまう。試合の途中でウマがフィールドに乱入してきたら？　アインシュタイン・タイタンズの更衣室にゴキブリが大発生したら？　絶妙なダジャレを言うチャンスがめぐってきたら？　ヘリオグラフにできるのは、ひたすらスプレッドシートの中味を報告することだけだ。

　それでも、AIが自動生成する文章のおかげで、報道機関はそれまでコスト面から書くのが難しかった記事を作成することができる。自動化する記事を決め、AIの使う基本的なテンプレートや定型文を作成するのは人間の仕事だが、いちどこうした超特化型のアルゴリズムが完成してしまえば、記事のもとになるスプレッドシートがあるかぎり、いくらでも大量にニュース記事をつくれる。たとえば、あるスウェーデンのニュース・サイトは、Homeowners Botというボットを開発した。このボットは、不動産データの表を読み取り、不動産の販売情報を個々の記事に書きこみ、4か月間で1万本以上の記事を作成した。この不動産記事は、そのニュース・サイトが公開している記事のなかでもいちばん人気で、しかも利益をもたらすタイプの記事となった[3]。おまけに、人間の記者は、クリエイティブな調査作業に貴重な時間を費やせるようになる。ますます多くの大手報道機関が、AIの力を借りて記事を書くようになっている[4]。

　科学も、AIが反復作業を自動化するのに役立つ可能性のある分野のひとつだ。たとえば、物理学者はAIを使って、遠方の星々からやってくる光を観察し、その星が惑星であることを示す兆候を探してきた[5]。もちろん、AIの精度は、そのAIをトレーニングした物理学者たち自身ほど高くはなかった。AIが興味深いと分類した星の大半は興味深くも

＊　最終スコアが28-0ではなく27-0であるということは、クーガースがコンバージョンによる得点を1回逃したということになる。でも、ヘリオグラフはこの事実に言及していない。

なんともなかったけれど、それでも90%の星々を興味深くないものとして正しく分類し、物理学者の手間を大幅に節約することができた。

　天文学は巨大なデータセットに満ちている。これから打ち上げられるユークリッド宇宙望遠鏡は、その生涯を終えるまでに数百億枚の銀河の画像を収集する予定になっていて、そのうちの20万枚程度に重力レンズ効果と呼ばれる現象の証拠が映し出されるのではないかと期待されている[6]。重力レンズ効果は、超巨大銀河のあまりにも強力な重力が、より遠方の銀河からやってきた光を曲げることによって発生する。重力レンズを数多く発見することができれば、銀河間の巨大重力について多くのことがわかるだろう。銀河間には未解明の謎が多く、宇宙の質量とエネルギーのなんと95%が謎に包まれている。アルゴリズムで銀河の画像を評価したところ、評価のスピードは人間よりも速く、しかもその精度は人間を上回ることもあった。しかし、望遠鏡がある"大当たり"の重力レンズをとらえたとき、そのことに気づいたのは人間だけだった。

　少なくとも人間のアーティストが監督すれば、クリエイティブな作業も自動化できる。InstagramやFacebookに内蔵されているような今日のAI駆動のフィルターは、写真家が何時間もかけて写真を修正する前に、コントラストや明度を調整し、被写界深度の効果を加えて、まるで高価なレンズで撮ったような写真を再現する。ペイント機能を使って、友だちの頭にネコの耳を描く必要すらない。あなたの友だちがどんなに頭を動かしても、Instagramに内蔵されているAI駆動のフィルターが、しかるべき位置に耳を自動的につけてくれる。AIは、大小さまざまな方法で、クリエイティブな作業の能力を大幅に広げる便利なツールをアーティストやミュージシャンに提供している。もちろん、その反面、画像や映像に映る人の顔や体を別人のものと交換できる**ディープフェイク**のようなツールもある。このツールが広がれば、アーティストはニコラス・ケイジやジョン・チョーなどの俳優をさまざまな映画の役柄にあてはめて遊んだり、ハリウッドにマイノリティの役者が少ないという事実

について真剣な問題提起をしたりできる[7]。その一方で、ディープフェイク技術が気軽に使えるようになったせいで、特定の人物をターゲットにした不快な動画を制作し、オンラインにばらまくという不届き者もすでに現われているから厄介だ。テクノロジーが進化し、ディープフェイク動画がどんどんリアルになっていけば、だれかを陥れるようなフェイク動画がいっそう増えていくのではないかという心配もある。炎上発言をする政治家のもっともらしいフェイク動画などはその例だ。

　AIによる自動化には、時間の節約のほかに一貫性というメリットもある。何より、人間のパフォーマンスは、直前に食べたものや睡眠時間などによって、1日のなかでかなり波がある。その人の偏見や気分も大きな影響を与えるだろう。数々の研究から、性差別、人種への偏見、障害者差別といった問題が、履歴書の選考、昇給の決定、囚人の仮釈放の判断に影響を与えることがわかっている。その点、アルゴリズムはこうした人間の一貫性のなさを防止する。一定のデータが与えられれば、朝であれ、お昼であれ、勤務時間後であれ、ほぼ一定の結果を返すだろう。でも、残念ながら、一貫性があることとバイアスがないことはイコールではない。アルゴリズムが一貫して不公平な判断を下す可能性だってあるのだ。特に、多くのアルゴリズムがそうであるように、人間をお手本にして学習した場合にはその傾向が高くなる。

　というわけで、AIを使って自動化するのに向いている仕事はたくさんある。しかし、ある問題を実際に自動化できるかどうかは、どんな要因によって決まるのだろう？

仕事の幅が狭いほど、AIは力を発揮する

チューリング・テストは、1950年代にアラン・チューリングが提唱して以来、コンピューター・プログラムの知能レベルを測る有名なベンチマークのひとつとなっている。コンピューター・プログラムが人間と会話したとき、およそ3人にひとりに、コンピューターではなく人間と会

話していると思いこませることができれば、チューリング・テストに合格したことになる。チューリング・テストに合格することは、そのアルゴリズムが人間並みの知能、さらには自己認識を獲得した証拠とみなされることもある。実際、『ブレードランナー』『エクス・マキナ』『バイセンテニアル・マン』といった数多くのSF小説やSF映画には、チューリング・テストに合格して"人格"があることを証明した高度な汎用人工知能が登場する。

　でも、チューリング・テストは実際にはアルゴリズムの知能を測る優れた尺度とはいえない。ひとつに、会話の話題を十分に狭めれば、チューリング・テストに合格するのはワケもないからだ。わたしはこの説を検証するため、FacebookでWhole Foods Market（ホールフーズ・マーケット）のボットと会話してみた。

> **ホールフーズ**：ジャネルさん、こんにちは！　材料を挙げていただければ、簡単につくれる料理のレシピをご案内いたします。
> **わたし**：ワカモレを使ったレシピはありますか？
> **ホールフーズ**：〈「ワカモレのコリアンダー添え」のレシピが表示される〉
> **わたし**：グリンピースでワカモレをつくっても大丈夫でしょうか？
> **ホールフーズ**：〈「グリンピースのワカモレ」のレシピが表示される〉
> **わたし**：アボカドを使ったレシピを教えてくれますか？　ワカモレ以外で。
> **ホールフーズ**：〈「アボカドのサルサ・サラダ、オリーブとコリアンダー添え」のレシピが表示される〉

　この時点では、会話はまだぼんやりとしている。わたしの会話の相手は、自分が人間なのかボットなのかを名乗っていないし、レシピを返せば答えられる質問にうまく対応しているようだ。でも、ひとたびこの幅の狭い話題から抜け出すと、ボットはたちまち馬脚を現わした。

わたし：アボカドが熟しているかどうかはどうすれば見分けられますか？

ホールフーズ：〈「枝豆のワカモレ」のレシピが表示される〉

わたし：『スター・ウォーズ』のお気に入りの登場人物は？

ホールフーズ：〈「小海老のソテー、ポレンタ添え、マンチェゴ・ソース」のレシピが表示される〉

『サイゴノ ジェダイ』ニ シュツエンシテタ
「コエビノ ソテー ポレンタ ゾエ マンチェゴ ソース」ハ
サイコウ ダッタネ！

　これはカスタマー・サービスにチャットボットを導入したいと考える企業がよく使う手だ。自分はボットだと正直に打ち明ける代わりに、人間の礼儀正しさを逆手に取って、ボットでもなんとか持ちこたえられる話題の会話を続けるのだ。まんがいち会話の相手が人間の従業員だったら、無関係な質問をして相手が人間かどうかを試すのは失礼だ、という顧客心理をうまく突いている。

　顧客が決められた話題に沿って話していても、話題が広すぎるとチャットボットは悪戦苦闘してしまう。Facebookは2015年8月から、ホテルや劇場のチケットの予約、レストランの提案などを行うAI搭載のチャットボット「M」の開発を試みた[8]。開始当初は、もっとも難しい要求には人間が対応しつつ、アルゴリズムの学習材料となる例を収集していく計画だった。そうすれば、最終的にはアルゴリズム自身でほとんどの質問に対応できるだけのデータを集められるだろうと考えたのだ。残念なことに、顧客はMに何をたずねてもいいというFacebookの言葉を真に受けてしまった。このプロジェクトを手がけたエンジニアは、あ

るインタビューでこう語っている。「たいていの人は、まず翌日の天気をたずねます。すると次に、"近くに空いているイタリアン・レストランはある?"とたずねます。次が入国手続きについての質問で、しばらくするとこんどはMに結婚式の手配を頼むようになるんです[9]」。あるユーザーはMに、オウムを友人の家に送り届けてほしいと頼んだ。結果は大成功だった。Mがその依頼を人間にバトンタッチしたからだ。実際、Mの導入から数年がたっても、人間が助けに入らなければならないケースはあとを絶たなかった。結局、Facebookは2018年1月にこのサービスを中止した[10]。

うーん、これはオウムとちがうね。

　人間のありとあらゆる発言や質問に対応するのは、あまりにも幅の広い仕事だ。AIの頭脳は人間の頭脳と比べるとまだまだ小さく、仕事の幅が広がると、とたんに処理しきれなくなる。

　たとえば、わたしは最近、AIにレシピづくりのトレーニングを行った。そのAIはレシピに使われる文章をまねるよう設定されていたが、レシピとはなんなのかも、文字が材料や作り方を指しているということも、もっといえば英語とはなんなのかさえもわからない完全に白紙の状態から学習を始めた。AIは右も左もわからないなか、必死で文字の並べ方を理解し、サンプル・レシピをまねていった。わたしが学習材料としてケーキのレシピだけを与えたところ、AIはこんなレシピを創作した。

キャロット・ケーキ（ベラ婦人）
ケーキ、酒

イエロー・ケーキの素　1パック

小麦粉　3カップ

ベーキング・パウダー　小さじ1

ベーキング・ソーダ　小さじ1と1/2

塩　小さじ1/4

粉末シナモン　小さじ1

粉末ショウガ　小さじ1

粉末クローブ　小さじ1

ベーキング・パウダー　小さじ1

塩　小さじ1/2

バニラ　小さじ1

卵（常温）　1個

砂糖　1カップ

バニラ　小さじ1

ピーカンのみじん切り　1カップ

　オーブンを350度に予熱する。9インチのスプリングフォーム・パンに油をひく。

ケーキのつくり方

　全体が黄色くトロッとするまで、手早く卵をかき混ぜ、置いておく。別のボウルで、卵白をかたくなるまでかき混ぜる。あらかじめ準備していたパンに、最初の混合物のようなものをすばやく入れ、生地をなめらかにする。オーブンで約40分間、または木製のつまようじを中央に刺してから抜いても何もつかなくなるまで焼く。パンのなかで10分間冷ます。金網台の上に取り出して、完全に冷ます。

　パンからケーキを取り出して完全に冷ます。温かいうちに食卓へ。

もちろん、完璧なレシピにはほど遠いけれど、少なくともケーキのレシピであることはわかる（つくり方をよくよく読んでみると、実は卵黄１個で卵焼きをつくっただけなのだが……）。

次に、ケーキのレシピだけでなく、スープ、バーベキュー料理、クッキー、サラダのレシピも学習させてみた。学習のもとになるレシピは、ケーキのみのデータセットでは2431件だったのに対し、今回は2万4043件と10倍近くあった。AIの創作したレシピを見てみよう。

スプレッド・チキン・ライス
チーズ／卵、サラダ、チーズ

種を取った心臓　900グラム
細かく刻んだ新鮮なミントまたはラズベリー・パイ　1カップ
すりおろしたカトリマ　1/2カップ
植物油　大さじ1
塩　1個
コショウ　1個
砂糖、砂糖　大さじ2と1/2

葉でないものを混ぜあわせ、とろみがつくまでかき混ぜる。次に、卵、砂糖、はちみつ、キャラウェイ・シードを加え、弱火で煮る。コーン・シロップ、オレガノ、ローズマリー、白コショウを加える。熱でクリームを入れる。残りの小さじ1杯のベーキング・パウダーと塩を調理して加える。350°Fで2〜1時間焼く。熱々のまま食卓へ。

分量：6人前

　今回のレシピは完全にめちゃくちゃだ。AIは、チョコレートを使うの
はどういうときで、ジャガイモを使うのはどういうときかを理解する必要
があった。焼く必要があるレシピもあれば、じっくりと煮こむ必要のあ
るレシピもあった。でも、サラダに加熱調理はいらない。学習して理
解しなければならないルールが山ほどあったせいで、AIは薄っぺらい
知識を身につけるはめになった。

　そのため、商業的な問題や研究の問題を解決するためにAIをトレー
ニングする人々は、何かに特化したトレーニングをするほうが賢明だと
いうことを知っている。スプレッド・チキン・ライスを発明したAIよりも、
別のアルゴリズムのほうが有能に見えるとしたら、それはたぶん、後者
のアルゴリズムの取り組んだ問題のほうが狭く、入念に選び抜かれて
いるからだろう。仕事の幅が狭いほど、AIは力を発揮できるのだ。

Ｃ-３ＰＯと家のトースターのちがい

　だからこそAIの研究者たちは、現在使われている**特化型人工知能**
（artificial narrow intelligence: ANI）と、本や映画によく出てくる**汎用人
工知能**（artificial general intelligence: AGI）を明確に区別するのだ。
SkynetやHALなどのスーパーインテリジェントなコンピューター・シス
テムや、ウォーリー、Ｃ-３ＰＯ、データ［訳注／『新スタートレック』シリー
ズに登場するアンドロイドのこと］などの非常に人間的なロボットをめぐる物
語は、みなさんも知ってのとおりだ。こうした物語に出てくるAIは、確
かに人間の感情の機微を理解するのに苦労することもあるけれど、さ
まざまなモノや状況を理解し、うまく対応することができる。汎用人工
知能は、チェスで人間を打ち負かし、物語をつくり、ケーキを焼き、
ヒツジについて説明し、ロブスターよりも大きなモノを3つ挙げることが

できる。まちがいなくSF世界の話だし、ほとんどの専門家は、汎用人工知能が実現するのは何十年も先だと口をそろえている──実現するとしたら、の話だけれど。

　今日の特化型人工知能はそれと比べるとずいぶん雑だ。C-3POと比べれば、現代の特化型人工知能の性能はトースター並みだろう。

　たとえば、チェスや囲碁などのゲームで人間を打ち負かしてニュースになるようなアルゴリズムは、たったひとつの特化した作業では人間の能力を凌駕する。でも、特化した作業に関していえば、機械はとっくの昔から人間に勝っていた。たとえば、計算機は割り算の能力では常に人間を上回っていた。でも、いまだに階段ひとつ歩いて降りることすらできないのが現状なのだ。

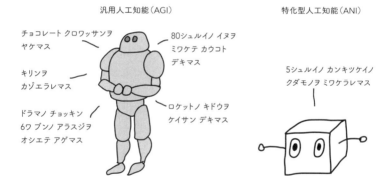

汎用人工知能（AGI）

チョコレート クロワッサンヲ
ヤケマス

キリンヲ
カゾエラレマス

ドラマノ チョッキン
6ワ ブンノ アラスジヲ
オシエテ アゲマス

80シュルイノ イヌヲ
ミワケテ カウコト
デキマス

ロケットノ キドウヲ
ケイサン デキマス

特化型人工知能（ANI）

5シュルイノ カンキツケイノ
クダモノヲ ミワケラレマス

実際、SFに登場する汎用人工知能の多くは、どういうわけかそろいもそろって階段を降りられない。ダーレク、C-3PO 、ロボコップのED-209、HALなど。まだまだ課題は山積みなのかも？

　今日の特化型人工知能アルゴリズムに合った幅の狭い問題とはどういうものだろう？　残念なことに、実世界の問題は見かけよりも幅が広いことが多い（AIが生み出す大惨事の警告サイン1「問題が厄介すぎる」を参照）。第1章で紹介した面接動画の分析は、一見すると幅の狭い問題にも思える。人間の表情から感情を読み取ればいいだけの話だ。ところが、脳梗塞を患った人や、顔に傷跡のある人、神経学的に正常な感情表現ができない人についてはどうする？　人間の面接官なら応募者の状況を斟酌（しんしゃく）して、相手に抱く期待を調整することができるけれど、AIがそれと同じことを行おうと思ったら、応募者の言っている言葉をとらえ（音声認識自体がAIにとってはまるまるひとつの問題だ）、その言葉の意味を理解し（現在のAIは、限定された分野の限定されたタイプの文章の意味しか解釈できず、しかも言葉のニュアンスにはめっぽう弱い）、その知識や理解に基づいて感情データの解釈のしかたを変えなければならない。現在のAIにこうした複雑な作業はとうてい不可能で、先ほどのような応募者はおそらく人間の面接官の前までやってくる前にはじかれてしまうだろう。

　次に見るように、自動運転もまた、見かけよりも幅の広い問題の一

例かもしれない。

不 十 分 な デ ー タ で は 計 算 で き な い

　AIはとにかく飲みこみが悪い。人間に「ワグ」という新種の動物の写真を見せてから、写真の束を渡して、ワグが写っている写真をすべて選び出してください、と言えば、最初に見せられたワグの写真が1枚だけでも、なかなかの精度でワグを見つけ出せるだろう。でも、AIが曲がりなりにもワグを識別できるようになるまでには、たぶん数千枚や数十万枚のワグの写真を見せる必要があるだろう。しかも、「ワグ」という単語が、ワグの足下に敷かれているチェック柄の床や、ワグの頭をなでている人間の手ではなく、写真のなかの動物を指しているということを理解させるためには、バラエティに富んだワグの写真を用意しなければならないだろう。

　研究者たちは、より少ない例である話題を習得できるAIを開発しようと取り組んでいるけれど（この能力は**ワンショット学習**と呼ばれる）、今のところ、AIで問題を解決しようと思えば、膨大な量のトレーニング・データが必要になる。現在、画像生成や画像認識向けのトレーニング・データセットとして人気のあるImageNetには、たった1000種類のカテゴリーに1419万7122枚もの画像が含まれている。同じように、人間の運転手は数百時間の運転経験を積めば、ひとりで運転ができるようになるが、2018年現在、自動運転車開発会社Waymoは、1000万キロメートルを超える路上走行データに加え、80億キロメートルを超えるシミュレーション走行データを収集ずみだ[11]。それでもなお、自動運転車技術を大規模に展開するには遠く及ばない。AIはいつだってデータに飢えている。だからこそ、大量のデータが収集分析される「ビッグデータ」時代とAI時代はこれほど密接にからみあっているのだ。

　AIは物覚えが異様に悪いので、リアルタイムで学習させるのは現実的でないこともある。そういうときは、数百年ぶんのトレーニングをたっ

たの数時間で積むことができる早送りした時間のなかで学習を行う。コンピューター・ゲーム「Dota」（チームで協力して敵陣を制圧するオンライン・ファンタジー・ゲーム）のプレイ方法を学習したOpenAI Fiveと呼ばれるプログラムは、人間との対戦ではなく自己対戦を重ねることにより、人間のトッププレイヤーを次々と撃破するまでに成長した。何万回と同時に自己対戦し、1日に180年ぶんのゲーム経験を積んでいった成果だ[12]。目標が実世界でなんらかの作業をこなすことだとしても、まずはシミュレーション世界を構築し、トレーニングの時間と労力を節約するほうが合理的なのだ。

　別のAIは、自転車でのバランスの取り方を学習した。でも、AIはやっぱり飲みこみが悪かった。プログラマーは、自転車がぐらついたり転倒したりするたび、前輪のたどった経路を記録した。100回以上転倒してやっと、自転車は倒れずに数メートル以上走れるようになった。そして、もう数千回転倒してようやく、数十メートル以上走れるようになった。

　シミュレーションのなかでAIをトレーニングするのは便利だけれど、リスクもともなう。シミュレーションを実行するコンピューターの計算能力は限られているので、シミュレーションは実世界ほど細密にはつくられておらず、どうしてもさまざまな裏技や近道が生じてしまう。AIがそうした近道に気づき、利用しようとすると、時として問題が起こる（詳しくはあとの章で）。

ほかの進歩に便乗する

　トレーニング・データが不足していても、だれかが似たような問題を
すでに解決しているなら、AIで問題を解決できるかもしれない。まった
くゼロからではなく、以前のデータセットで学習した構成から始めれば、
学習した内容の大部分を使い回せるのだ。たとえば、わたしの手元に
は、メタル・バンドの名前を生成するためのトレーニングを行ったAIが
すでにある。次の目標が、アイスクリーム・フレーバーの名前を生成
できるAIを構築することなら、メタル・バンド名を生成するAIから始め
ることで、より早く、しかもより少ない例で結果を出せるかもしれない。
実際、メタル・バンド名を生成するための学習から、AIはすでに次の
ことを知っている。

- ・おおよその名前の長さ。
- ・各単語の1文字目を大文字にすること。
- ・よくある文字の組みあわせ（たとえば、ch、va、str、pisなど。チョ
  コレート、バニラ、ストロベリー、ピスタチオにはこうした文字列が含まれ
  る）。
- ・よく出てくる単語（theはもちろんだが、deathも?）。

　たとえば、わたしの手元には、もともとこんなメタル・バンド名を生
成するAIがあった。

　ドラゴンレッド・オブ・ブラッド　（Dragonred of Blood）
　ステッガバッシュ　（Stäggabash）
　デスクラック　（Deathcrack）
　ストームガーデン　（Stormgarden）
　ヴァーミット　（Vermit）

スウィイル　（Swiil）

インバムリアス　（Inbumblious）

インヒューマン・サンド　（Inhuman Sand）

ドラゴンスッラ・アンド・スティールゴッシュ　（Dragonsulla and Steelgosh）

カオスラグ　（Chaosrug）

セスペススション・サニシレバス　（Sespesstion Sanicilevus）

このAIをほんの数巡トレーニングしただけで、こんなアイスクリーム・フレーバー名を生成するモデルへと進化させることができた。

レモン・オレオ　（Lemon-Oreo）

ストロベリー・チュロス　（Strawberry Churro）

チェリー・チャイ　（Cherry Chai）

モルテッド・ブラック・マッドネス　（Malted Black Madnesss）

パンプキン・ザクロ・チョコレート・バー　（Pumpkin Pomegranate Chocolate Bar）

スモークド・ココア・ニーベ　（Smoked Cocoa Nibe）

トースト・バジル　（Toasted Basil）

ヤマイチジク＆ストロベリー・ツイスト　（Mountain Fig n Strawberry Twist）

チョコレート・チョコレート・チョコレート・チョコレート・ロード（Chocolate Chocolate Chocolate Chocolate Road）

チョコレート・ピーナッツ・チョコレート・チョコレート・チョコレート　（Chocolate Peanut Chocolate Chocolate Chocolate）

この種のものを生成すると、どうしても多少ぎこちないフレーズが混じってしまう。たとえば、次のような感じだ。

スワール・オブ・ヘル（地獄の渦）

パーソン・クリーム（人間クリーム）

ナイトハム・タフィー（ナイトハムのタフィー）

フィースベララーデルンズ・デス（フィースベララーデルンの死）

ネクロスター・ウィズ・チョコレート・パーソン（ネクロスターとチョコレート人間）

ダージ・オブ・ファッジ（ファッジの哀歌）

ビースト・クリーム（野獣クリーム）

エンド・オール（すべての終わり）

デス・チーズ（死のチーズ）

ブラッド・ピーカン（血液ピーカン）

サイレンス・オブ・ココナッツ（ココナッツの沈黙）

ザ・バターファイア（バターの烈火）

スパイダー・アンド・ソルビースト（クモとソルビースト）

ブラックベリー・バーン（丸焦げブラックベリー）

　メタル・バンドの名前ではなく、パイの名前から始めたほうがよかったのかも……。

チョコレート・
ピーナッツ・
チョコレート・
チョコレート・
チョコレート

ビート・
バーボン

プラリネと
チェダーの
スワール

　実際、AIのモデルは使い回されることが多い。この使い回しのプロセスのことを**転移学習**という。すでに目標まで何割か進んでいるAIから始めれば、使用するデータ量を減らせるだけでなく、大幅な時間の節約にもなる。大量のデータセットを用いて最高級に複雑なアルゴリズム

をトレーニングしようとすると、超強力なコンピューターを使っても数日や数週間かかることも珍しくない。でも、転移学習を使えば数秒や数分ですむ。

とりわけ、画像認識では転移学習がよく使われる。新しい画像認識アルゴリズムをゼロからトレーニングするには、途方もない時間とデータが必要になるからだ。多くの場合、一般的な画像のなかにある一般的なモノを認識するようトレーニングされたアルゴリズムから始め、特殊なモノを認識させていく。たとえば、アルゴリズムがトラック、ネコ、サッカーボールの写真を見分けるためのルールをすでに知っているなら、食料品スキャナー向けにさまざまな種類の農産物を認識するのに役立つ。汎用画像認識アルゴリズムが学習中に発見しなければならない境界_{エッジ}、形状、質感_{テクスチャ}の検出ルールの多くは、食料品スキャナーにも使い回しがきくだろう。

どんなモノでも識別できるようになったな。よくやった。
今後は、チーズに特化してくれたまえ。

ワーイ

AIに記憶力を求めてはいけない

AIにとっては、あまり記憶力を必要としない問題ほど解決しやすい。脳のパワーがかぎられているせいで、AIはとにかく記憶力が悪い。これは、たとえばAIがコンピューター・ゲームをプレイしようとしたときに特に浮き彫りになる。AIはゲーム・キャラクターのライフや魔法（一定回数までしか使えない強力な攻撃など）を惜しみなく消費する。最初からライフや魔法を消費しまくり、なくなりかけたところで急に慎重になるのだ[13]。

あるAIは、アクション・ゲーム「The Karate Kid」のプレイ方法を学習したのだが、開始早々、強力な蹴りである「クレーン・キック」を毎回使い果たしてしまうクセがあった。どうして？　6秒ぶんの記憶力しか備えていなかったからだ。このアルゴリズムをトレーニングしたトム・マーフィーは、こう述べている。「6秒以上先に必要になるものは、すべてお手上げさ。ライフや魔法を浪費してしまうというのは、よくある障害モードなんだ」[14]

　コンピューター・ゲーム「Dota」をプレイするOpenAIのボットのような高度なアルゴリズムでも、記憶や予測のできる時間の範囲には限界がある。OpenAI Fiveは、なんと2分先まで予測ができるのだが（複雑な出来事が目まぐるしく起きているゲームにしては、それでも十分にすばらしい）、このゲームの試合は45分間以上も続くことがある。OpenAI Fiveは恐ろしいほどの攻撃性と精度でゲームをプレイできるが、その一方で、長期的に見てプラスになるテクニックの使い方は理解していないようだ[15]。クレーン・キックを早々と使い果たしてしまう「The Karate Kid」の単純なボットと同じように、OpenAI Fiveも超強力な攻撃をいざというときのために取っておこうとはせず、早い段階で使い果たしてしまう。

　前もって計画ができないという失敗は、かなりの頻度で起こる。たとえば、ゲーム「スーパーマリオブラザーズ」の1‒2面に、すべてのAIプレイヤーにとって鬼門ともいえる悪名高い岩場がある。その岩場にはたくさんのコインがある。1‒2面まで到達するころにはたいてい、AIはコインをなるべく多く取ったほうがよいことを理解している。また、時間切れになる前にその面のゴールまで到達できるように、画面の右へ右へと移動しつづけなければならないこともわかっている。ところが、その岩場は右側が行き止まりになっているので、AIは岩場に飛び乗ったあと、いったん後方に戻って岩場から飛び降りないと先へは進めない。それまで、後ろに引き返さなければならない場面は1回もなかったため、AIは途方に暮れ、時間切れになるまでその岩場で立ち往生してしまう。

「この問題を解決するためだけに、文字通り6回近い週末と数千時間ぶんのCPUを費やしたよ」とトム・マーフィーは語った。彼はAIの長期計画のスキルを改善し、とうとうその難所を越えることに成功した[16]。

　文章の生成も、AIの記憶力の悪さが足かせになりうる分野だ。たとえば、スプレッドシート内の個々の行を定型的なスポーツ記事へと変換するジャーナリズム・アルゴリズム「ヘリオグラフ」が機能するのは、一つひとつの文章が多かれ少なかれ独立しているからだ。記事全体の内容をまるまる覚えておく必要はない。

　Google翻訳を動かしているような言語翻訳ニューラル・ネットワークも、段落全体の内容を記憶しておく必要はない。ふつうは、前の文章を覚えていなくても、原文、または原文の一部を、別の言語へと個別に翻訳できる。前の文章に出てきた情報を覚えていないと読み解けないあいまいな表現など、長期的な依存関係がある場合、AIはたいていお手上げになってしまう。

　AIの記憶力の悪さがもろに表われてしまう作業はほかにもある。ひとつの例が、アルゴリズムによって生成された物語だ。AIが小説やテレビ番組の台本を書かないのには理由があるのだ（もちろん、そうした取り組みも行われてはいるけれど）。

　ある文章が、機械学習アルゴリズムによって書かれたのか、それとも人間によって（少なくとも人間が大幅に手を入れて）書かれたのかを見分けるひとつの方法がある──記憶力に関する重大な欠陥を探せばいい。2019年時点で、物語のなかの情報を長期にわたって記憶できるAIがポツポツと登場しはじめているが、それでも重要な情報の一部を見失ってしまう傾向があるのはいなめない。

　多くの文章生成AIは、いちどに数単語しか記憶できない。たとえば、ある**再帰型ニューラル・ネットワーク**（recurrent neural network; RNN）は、dreamresearch.netに記載されている1万9000件の人々の夢に基づいてトレーニングを受けたあと、次のような文章を生成した。

わたしは起き上がって彼の家まで廊下を歩いていき、非常に狭い引き出しのなかにいた1羽の鳥を見かける。それは手開きの扉に群がる人々の集団だ。自宅では、ある老人が何本かの鍵を買おうとしている。彼は厚紙製の道具を持ったまま自分の頭に目をやる。そうして、わたしはテーブルの上に両足を投げ出す。

　まるで支離滅裂だ。状況、雰囲気、さらには登場人物までもが途中で二転三転している。でも、ニューラル・ネットワークの生成する夢は、2文、3文先まで一貫性を保っておくことができないのだ。いや、それ以下かもしれない。いちども紹介されていない人物が、まるでずっとそこにいたかのように描かれている。場所がどこなのかさえもはっきりしない。個々のフレーズは意味が通っているし、内容さえ気にしなければ、単語の流れは問題ないように見える。人間の言葉と表面的には一致しているけれど、深い意味を持たないというのが、ニューラル・ネットワークの生成した文章の特徴だ。

　61ページでもうひとつ別の例を紹介しよう。今回はレシピだ。こちらのほうが記憶力不足の影響がいっそうわかりやすい。このレシピは、45〜46ページのレシピを生成したのと同じ再帰型ニューラル・ネットワーク（つまり機械学習アルゴリズム）によって生成されたものだ。（読めばわかるとおり、このアルゴリズムはさまざまなレシピを学習材料にした。明らかに、血液を使ったソーセージの一種、ブラック・プディングのレシピも含まれていたのだろう。）このニューラル・ネットワークは1文字ずつレシピを生成しているようだ。それまでに生成した文字を見て、次の文字を決めるのだ。見る文字が多くなればなるほど必要なメモリも増えるけれど、このアルゴリズムを実行しているコンピューターのメモリは限られている。なので、メモリの需要を抑えるために、このニューラル・ネットワークは直前の数文字しか見ない。このアルゴリズムとわたしのコンピューターの場合、65文字が精一杯だった。そういうわけで、レシピの次の文字を決めるとき、参考にできるのは直前の65文字の情報だけだった[*]。このアルゴ

リズムがレシピの途中でメモリを使い果たし、チョコレート・デザートをつくろうとしていることさえも忘れてしまったタイミングはどこだろう？黒コショウや「ライス・クリーム」（これは何!?）を加えている箇所だ。

＊　このアルゴリズムは、65文字を超える情報を記憶できるちょっとした長期記憶も備えていたが、材料全体を覚えておくには小さすぎた。機械学習の用語でいうと、このアルゴリズムはふつうのRNNではなく、長短期記憶（long short-term memory: LSTM）ニューラル・ネットワークということになる。

に書いたことを覚えておくのに苦労している。ニューラル・ネットワークにはいちどに半角65文字（最初の4、5行程度）しか見えて〔い〕ない。せめてデザートかふつうの料理かくらいは最後まで覚えて〔い〕られるだろうか?

レシピの形式はやさしい。最初にタイトル、次に料理の種類、材料、つくり方と続く。毎回このパターンだ。予測しやすいものは、ニューラル・ネットワークにとって扱いやすい。

チョコレート・バターブイヨン・ブラック・プディング

ブラック・プディングは血液からつくられる。面白い出だしだ。

〔よ〕くないけれど、わたしなら〔たし〕かに「デザート」としたと思〔う〕。このまま順調に行けるだ〔ろ〕うか?

チーズ/卵

〔カ〕カオ! 上出来だ。まだ〔チ〕ョコレート料理だということ〔を〕覚えているらしい。まだ65〔文〕字のメモリにかろうじて〔残〕えている。

カカオ（粉末） 110グラム
バター 小さじ1
牛乳 1/2カップ
コショウ 小さじ1/4
ライス・クリーム（みじん切り） 1/4カップ
クリーム 450グラム
皮をむいたゴマ 1粒

待って、カカオは最初から……。いや、念には念を入れてのことだろう、きっと。

ゴマ1粒でなんの意味が? 明らかなミス。皮をむくのもたいへんそうだ。

大文字は、小文字とはまったく別物として処理されるので、ニューラル・ネットワークにとっては厄介だ。大文字の単語については、ごく少ない例をもとに、ゼロから別個に学習していくしかない。

〔デ〕ザートなのにゴマ? 〔ち〕ょっと風向きが怪しくなって〔き〕た。

—DATE HOLY—

〔フ〕ロスティングの材料〔だ〕! 聖なる日（DATE HOLY）にぴったりだ。〔た〕ぶん、ケーキのレシ〔ピ〕から引っ張り出してき〔た〕のだろう。またデザー〔ト〕らしくなってきた。

卵（大） 1個
ビール酵母の代わりとなる粉砂糖 1個
溶かしバターまたは溶かしマーガリン 1/4カップ

ブラウン・シュガー、チョコレート、ベーキング・パウダー、ビール、レモン汁、塩をかたまりのまま、油をひいた9×2インチのケーキに入れる。

リストにない材料が出てきた。ここまで来ると、材料リストはもう記憶にない。チョコレートはあるけれど、あとは推測だ。

少し小さいように思える。それから、正しくはケーキでなくケーキ型では?

〔あ〕れ、怪しくなってきた。「きつね色になり」というの〔は〕、デザートにもふつうの料理にも使われる。「泡立つ」〔辺り〕で少し方向性がおかしくな〔り〕、ついに飛び出したニンニ〔ク〕……。ゲームオーバーだ。

きつね色になり、泡立つまで冷やす。
ピエウンを使ってニンニク半かけを上に置き出し、ベイをもう少し使えるようにする。
予熱しておいたオーブンにフライパンを入れる。
調理用に新鮮なパセリを振りかける。

〔あ〕らら、完全にめちゃくちゃ〔だ〕。もはや何をつくろうとし〔て〕いるのかわからない。スー〔プ〕? 炒め物? なんともい〔え〕ない。誤字も目立ってきた。

油の鍋のなかでヘクトするために皿を食べ、ハーフ・アンド・ハーフを引き寄せる。ボウルに入れる。そいつを1枚のカラバロの上で軽くたたき、青白くし、調味料を調理してバターで調理する。玉ネギを散らす。そして、泡とニンジンを5分ほど調理したら、引き出す。15インチの時間の上で、ミキサーまたはワックス・ペーパーを乾燥した未完成品によってかき混ぜ、沸騰させる（これは発見される）。

閉じカッコをつけることだけは忘れなかったようだ。ひたすらカッコに気を配るニューロンがあるのだろう。

〔ニ〕ューラル・ネットワークは、〔少〕なくともレシピの締めくくり〔の〕方はわかっているらしい。確〔か〕に、つくっていたのはケー〔キ〕だ。この料理をケーキと〔呼〕ぶなら、の話だけど。

分量:ケーキ1人前

フロスティングをかける、何かを添えて出す、というように、レシピを短く終わらせたほうがいいケースをわかっている場合もあるが、このレシピがこれだけ混沌としているということは、ただの推測でレシピを生成したにちがいない。今までに書いた分量を覚えていなくて、えんえんとレシピを書きつづけるケースもある。

こうした記憶力の問題は解消されつつある。研究者たちは、文章内の次の文字を予測するときに短期的な特徴と長期的な特徴の両方を分析できる再帰型ニューラル・ネットワークの開発に取り組んでいる。アイデアとしては、まず画像内の小さな特徴（物体の境界や質感_{テクスチャ}など）を分析し、次にズームアウトして全体像を分析する画像認識アルゴリズムに似ている。この戦略は**畳み込み**と呼ばれる。畳み込みを用いるニューラル・ネットワーク（わたしのラップトップでトレーニングしたものよりも数百倍巨大）は、一定の話題を保つのに十分な長さの情報を記憶しておくことができる。次のレシピは、GPT-2と呼ばれるニューラル・ネットワークが生成したものだ。これは、OpenAIが大量のWebページを使ってトレーニングし、わたしがあらゆる種類のレシピでトレーニングして微調整したニューラル・ネットワークだ。

チャンク・ケーキ
ケーキ、デザート

小麦粉　8カップ
バター（常温）　1.8キログラム
コーン・シロップ（分けて使う）　2と1/4カップ
卵（裏ごしし、冷ましたもの）　2個
クリーム・ターター　小さじ1
M ＆ M's　1/2カップ
チャンキー・ホワイト　230グラム
ふるいにかけたチョコレート　1個

2と1/4カップの小麦粉をとろみがつくまで中速でかき混ぜ、クリーム状にする。

軽く油をひき、油をひいたワックスペーパーを敷いたボックスのふ

たつの材料に小麦粉をまぶす。小麦粉、シロップ、卵を混ぜる。クリーム・ターターを加える。それを大サイズのローフ・パンに注ぎこむ。450度で35分間焼く。そのあいだ、大きなボウルに、シロップ、チャンキー・ホワイト、チョコレートを入れ、完全に混ざりあうまでよくかき混ぜる。パンを冷ます。ケーキ全体に先ほどのチョコレート・ミックスを大さじ2杯かける。食べるときまで冷蔵庫に入れておく。

分量：20人前

　畳み込みのおかげで記憶力が改善したGPT-2ニューラル・ネットワークは、ほとんどの材料を忘れずに使っていて、しかもケーキをつくろうとしていることも覚えている。ただ、つくり方にはちょっと難があるけれど……。小麦粉はどれだけかき混ぜてもとろっとはしないし、小麦粉、シロップ、卵は、たとえクリーム・ターターを加えてもケーキにはなりそうもない。それでも、先ほどのチョコレート・バターブイヨン・ブラック・プディングと比べれば大進歩だ。

　もうひとつ、GPT-2の生成した例を紹介しよう。こんど挑戦するのは、『ハリー・ポッター』のパロディ小説の執筆だ。このアルゴリズムは、その場にいる登場人物や繰り返し現われるモチーフをきちんと覚えている。この場合、スネイプの頭にヘビが乗っかっていることを最後まで覚えている。

スネイプ：わかった。
〔ヘビが現われ、スネイプがそれを頭に乗せる。どうやら話しているようだ。「許そう」とヘビが言う。〕
ハリー：許してあげないと帰れないよ。
スネイプ：〔ため息をつきながら〕ハーマイオニー。

> ハリー：よし、聞こう。
>
> スネイプ：こんなことで取り乱してしまって申し訳ない。
>
> ハリー：先生のせいじゃありません。
>
> ハリー：そんなことが言いたかったわけじゃないんです。
>
> 〔別のヘビが現われ、「よし、許そう」と言う。〕
>
> ハーマイオニー：許します。
>
> スネイプ：ああ。

　記憶力不足に対処するためのもうひとつの戦略は、基本的な単位をひとまとめにして、記憶している物事が少なくても一貫性を保てるようにすることだ。65個の文字の代わりに、65個の単語、あるいは65個の筋書きの要素を覚えさせる手もあるかもしれない。Googleのチームが新しいグルテンフリー・チョコチップ・クッキーをつくろうとしたときに行ったように、必要な材料や許容可能な範囲を具体的に制限していれば、ニューラル・ネットワークは毎回有効なレシピをつくっていただろう[17]。残念ながら、Google発案のクッキーは、わたしのアルゴリズムがつくったものよりはずっとクッキーらしかったものの、それでも大不評だった[18]。

この問題を解決するもっとシンプルな方法はないか？

　ある問題がAI向きであるかどうかを判断する最後の基準を紹介しよう（実際に人々がAIを使ってその問題を解決しようと思うかどうかは別として）。AIはその問題を解決するいちばんシンプルな方法なのか？

　わたしたちが巨大なAIモデルと大量のデータを手にするまで、前進を遂げるのが難しい問題もあった。AIは画像認識や言語翻訳に革命をもたらし、スマートな写真のタグづけやGoogle翻訳を爆発的に広めた。こうした問題は、人間が一般的なルールを書き出そうと思うと難しいけれど、AI的な手法を使えば大量の情報を分析し、独自のルール

を導き出すことができる。あるいは、AIを使えば、別の電話会社に乗り換えた顧客の100種類の特性を調べ、将来的に電話会社を乗り換える可能性の高い顧客を推測することができる。たとえば、年齢が若く、電波の受信状況が平均未満の地域に住んでいて、契約から半年未満の顧客が解約しやすいとわかるかもしれない。

　ただし、ちょっと常識を働かせれば対処できる状況に、AIを使った複雑な解決策を無理やりあてはめてしまう危険性もある。すぐに契約を解約するのは、週1回のゴキブリ宅配プランに申しこんでしまった顧客かもしれない。ちょっと考えれば、このプラン自体がひどいとわかる。

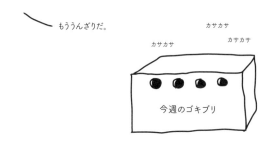

もううんざりだ。

カサカサ

カサカサ

カサカサ

今週のゴキブリ

ＡＩに車を運転させてもいい？

　自動運転車はどうだろう？　自動運転がAIにとって魅力的な問題といえる根拠はたくさんある。まず、運転が自動化できたらもちろんありがたい。多くの人が運転を退屈な作業だと思っているし、もうこれ以上は運転できないと思うこともある。抜群の反射神経を持つ優秀なAI運転手なら、路上でふらつくことも、横滑りすることも、乱暴な運転をすることもない。むしろ、自動運転車はちょっと慎重すぎて、ラッシュ・アワーの車の流れに合流しそこねたり、混雑した道路で左折するのに苦労したりするほどだ[19]［訳注／アメリカの車道は右側通行なので、アメリカの左折は日本の右折にあたる］。反面、AIは絶対に疲れないので、人間が

昼寝やパーティーをしているあいだ、休みなしでハンドルをにぎってくれる。

　また、人間の運転手にお金を払って、何百万キロメートルも走り回ってもらう余裕さえあれば、大量のサンプル・データを蓄積するのはワケもない。AIが超速で運転戦略のテストや改良を行えるよう、仮想的な運転シミュレーションを構築することも簡単にできる。

　記憶力もさほど必要ない。現在のハンドルさばきや走行速度は、5分前に起きた出来事とは無関係だ。将来の計画はカーナビ・システムが担ってくれる。歩行者や野生動物といった路上の障害物が現われるのは、ものの数秒のあいだだ。

　最後に、自動運転車の制御というのはとても難しい作業なので、ほかに適当な解決策がない。今のところもっとも有望なのがAIによる解決策なのだ。

　とはいえ、運転という問題は、本当に現代のAIで解決できるほど幅の狭い問題なのか？　それとも、先ほど紹介した人間並みの汎用人工知能（AGI）のようなものが登場しないかぎり解決できない問題なのだろうか？　その答えはまだ不明だ。これまで、AI駆動の自動車は数百万キロメートルもの自力走行に成功しており、一部の企業は、テスト走行で人間の介入が必要になったケースは数千キロメートルに1回程度だったと報告している。しかし、完全に取り除くのが難しいのは、そうした万にひとつの介入の機会なのだ。

　人間が自動運転車のAIを助けなければならなかった状況はいろいろとある。通常、企業はこうしたいわゆる自動運転解除（ディスエンゲージメント）の「理由」を開示しておらず、一部の地域で義務づけられている「回数」だけを開示している。それはもしかすると、自動運転解除の理由が恐ろしいほどお粗末なものばかりだからかもしれない。2015年発表の研究論文にその一部が掲載されている[20]。いくつか例を挙げてみよう。

・頭上にせり出している木の枝を障害物ととらえた。

・別の車のいる車線がわからなくなった。

・交差点に歩行者が多すぎて手に負えないと判断した。

・駐車場から出てくる車が見えなかった。

・目の前に割りこんできた車が見えなかった。

　2018年3月に起きた自動運転車の死亡事故は、ちょうどこのような状況で起きた。自動運転車のAIが歩行者の識別でトラブルを起こしたのだ。最初、AIは歩行者の女性を識別不能な物体、次に自転車、そして最後に歩行者と認識したが、その時点では衝突まで1.3秒の猶予しか残されていなかった（この問題は、自動車の緊急自動ブレーキ・システムが無効になっていたという事実が発覚し、いっそう複雑になった。人間の運転手に警告することを優先するために無効になっていたとのことだが、実際には警告を出すような設計にはなっていなかった。しかも、人間の運転手は長い時間、1回も介入する必要がなかった。こうなると当然、大多数の人は警戒心がゆるむだろう[21]）。また、2016年の死亡事故は、障害物の認識エラーが原因で発生した──自動運転車が平台トラックを障害物として認識しそこねたのだ（以下のボックスを参照）。

　2016年、運転手が高速道路上で使用することを想定されていたテスラの自動運転機能を一般の市道で使ったことにより、死亡事故が発生した。トラックが車の前を横切ったのだが、自動運転AIはどういうわけかブレーキをかけなかった。トラックを回避の必要な障害物として登録していなかったのだ。その衝突回避システムを設計したMobileye社の分析によると、そのシステムは高速道路の走行用に設計されていたため、後ろからの追突を回避するようにしかトレーニングされていなかった。つまり、トラックを側面ではなく後ろから認識するようにしかトレーニングされていなかったわけだ。テスラの報告によると、AIは横向きのトラックを検出すると、頭上の道路標識として認識し、ブレーキは不要だと判断した

らしい[22]。

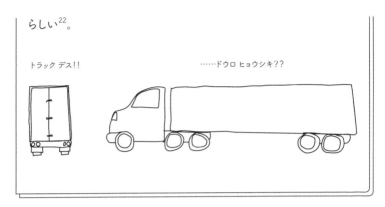

トラック デス!!　　　　　　　　　　……ドウロ ヒョウシキ??

　当然ながら、もっと珍しい状況も起こりうる。フォルクスワーゲンが
オーストラリアで初めて自社のAIをテストしたとき、AIはカンガルーを
見て混乱した。どうやら、それまで飛び跳ねるものに遭遇したことがい
ちどもなかったようだ[23]。

　パレード、動物園から逃げ出したエミュー、垂れ下がった電線、溶
岩、見慣れない指示が書かれた緊急時の標識、糖蜜の洪水［訳注／
1919年にボストンの工場のタンクから糖蜜が流れ出して大洪水が起きたことがあ
る］、道路の陥没など、路上で起こりうる出来事はいくらでもある。AI
がトレーニング中に見たことのない出来事がいつか起こることは避けら
れないだろう。まったく予期せぬ出来事に対応できるAIをつくるのは、
かなり難しい問題だ。陥没した穴は動かないけれど、脱走したエミュー
は暴れ回る可能性が高いとか、溶岩が水と同じように流れる液体だか
らといって、溶岩溜まりの上を通り抜けられるわけではない、というこ
とを直感的に把握できないといけないのだ。

　自動車会社は、路上で必ず起こるありふれた問題や奇妙なアクシ
デントに対応できるよう、戦略を適応させようとしている。そのために、
自動運転車の走行経路を厳密に制御された閉鎖的な道路だけに制限
したり（それで必ずしもエミューの問題が解決するわけではないけれど。エミュー
はずる賢い）、人間の乗る車が先頭を走って自動運転トラックの車列を
誘導したりすることを検討している。つまり、自動運転の分野は、公

共交通機関によく似た妥協策へと向かいつつあるということだ。

自動運転レベル

0	自動化なし	せいぜい自動速度制御装置（クルーズ・コントロール）まで。フォード・モデルTはここに含まれる。運転するのは人間。それだけ。
1	運転支援	車間距離維持装置（アダプティブ・クルーズ・コントロール）または車線維持。現代の大半の自動車に搭載されている。人間が部分的に運転する。
2	部分的な自動化	レベル1のふたつ以上を同時に実行。車が自動的に車間距離を保ち、なおかつ車線内を走る。ただし、人間がいつでも運転を代われるよう待機しておく必要がある。
3	条件つき自動化	一定の状況であれば、車が自動的に運転できる。渋滞モード、高速道路モードなどを搭載した自動車がこれにあたる。人間の運転手はほとんど手出し無用だが、必ず対応の準備をしておく必要がある。
4	高度な自動化	制御された走行経路であれば、人間の運転手は不要。場合によっては、後部座席で仮眠を取ることもできる。それ以外の走行経路では、人間の運転手が必要。
5	完全自動化	人間の運転手はいっさい不要。ハンドルやペダル自体ない。後部座席で寝ていても、自動車がすべてをコントロールしてくれる。

現時点では、AIは混乱すると自動運転を解除する。つまり、運転席に座る人間に運転をバトンタッチするのだ。現在、自動運転レベル3の条件つき自動化が、市販の自動運転車の最高レベルとなっている。

たとえば、テスラの自動運転モードでは、人間の介助なしで何時間と車を走らせることができるが、いつなんどき人間の運転手が呼び出されるかわからない。このレベルの自動化の問題点は、人間が後部座席でクッキーの飾りつけを行ったりはせず、ハンドルの前に座って常に注意を払っていなければならないということだ。そして、人間は何時間も道路をボーッと見つめたあとで、警戒心を保つのがものすごく苦手だ。人間が自動運転車を介助するというのは、AIの現在のパフォーマンスとわたしたちがAIに求めるパフォーマンスとのギャップを埋めるのにちょうどいい方法だけれど、人間は自動運転車を助けるのが大の苦手だ。

　なので、自動運転車の開発は、魅力的であると同時にとても難しいAIの問題でもある。自動運転車を普及させるには、一定の妥協をするか（制御された走行経路をつくり、自動運転レベル4までで我慢するなど）、現在のAIよりもはるかに柔軟なAIを開発する必要があるだろう。

　次章では、自動運転車などの背後にあるAIを見ていこう。それは、脳、進化、さらにははったりをモデルにしたAIだ。

AIはどうやって
学習するのか？

　本書では、「AI」という用語を「機械学習プログラム」という意味
で使っていることを思い出してほしい。（わたしがAIと考えているもの、考え
ていないもののリストについては、12ページの便利な一覧表を参照してほしい。ロ
ボット・スーツを着た人間には申し訳ないけれど……。）機械学習プログラムは、
第1章で説明したように、試行錯誤を通じて問題を解決する。でも、
そのプロセスは具体的にどのようなものなのか？　人間から単語の成り
立ちやジョークの定義を教わらなくても、ランダムな文字の寄せ集め
を生成していたプログラムが、一目でノックノック・ジョークとわかるも
のを書けるようになるのはなぜなのだろう？

　機械学習にはさまざまな手法があるけれど、その多くはAIという呼び
名すらない数十年前の時代から存在している。今では、処理の高速
化やデータセットの巨大化によって、そうした技術が組みあわせられた
り、アレンジされたり、いまだかつてないほど強力になったりしている。
本章では、そのなかでも特に一般的なタイプのAIの内部をのぞきこみ、
その学習方法を見てみよう。

ニューラル・ネットワーク

　近年、人々がAI（または**ディープ・ラーニング**）の話をするときに指しているのは、**人工ニューラル・ネットワーク**（artificial neutral network: ANN）であることが多い（**サイバネティックス**、**コネクショニズム**とも呼ばれる）。

　人工ニューラル・ネットワークを構築する方法はたくさんあり、それぞれに具体的な用途がある。画像認識に特化したもの、言語処理に特化したもの、音楽制作に特化したもの、ゴキブリ飼育場の生産性の最適化に特化したもの、意味不明なジョークの創作に特化したものなどいろいろだけれど、どれも脳の仕組みを基本的なモデルにしているという点は変わらない。それが人工ニューラル・ネットワークと呼ばれるゆえんだ。その原型となった**生物学的な神経回路網**（ニューラル・ネットワーク）は、それよりもはるかに複雑なモデルだ。実際、1950年代にプログラマーが初めて人工ニューラル・ネットワークを開発したのは、脳の仕組みに関する理論を検証するためだった。

　つまり、人工ニューラル・ネットワークは擬似的な脳なのだ。

　人工ニューラル・ネットワークは、一つひとつがごく簡単な計算を実行できる一連の単純なソフトウェアのかたまりから構成されている。そのソフトウェアのかたまりは、人間の脳を構成する神経細胞（ニューロン）にたとえて、一般的に**セル**や**ニューロン**と呼ばれる。ニューラル・ネットワークの強みは、こうしたセルどうしの接続方法にある。

　実を言うと、実際の人間の脳と比べると、人工ニューラル・ネットワークはそこまで強力ではない。わたしが本書で文章生成に使っているニューラル・ネットワークには、ミミズ程度の数のニューロンしかない。

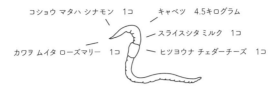

コショウ マタハ シナモン　1コ　　　　　キャベツ　4.5キログラム

スライスシタ ミルク　1コ

カワヲ ムイタ ローズマリー　1コ　　　　ヒツヨウナ チェダーチーズ　1コ

　でも、人間とは異なり、ニューラル・ネットワークは、ミミズ並みの頭脳をまるまる目の前の作業に捧げることができる（無関係なデータで気を散らされないかぎりは）。でも、相互接続された一連のセルを使って、いったいどう問題を解決できるというのだろう?

　世界最強のニューラル・ネットワーク、つまりトレーニングに数か月間と数万ドルぶんの計算時間を要するニューラル・ネットワークは、わたしのラップトップのニューラル・ネットワークよりもはるかに多くのニューロンを持ち、その一部はミツバチのニューロン数さえも上回る。2016年、ある有力研究者は、世界最大のニューラル・ネットワークの大きさの歴史的な推移から、人工ニューラル・ネットワークのニューロン数が2050年ごろには人間の脳に迫る可能性があると予測した[1]。ということは、AIが人間の知能に近づくということだろうか?　いや、たぶん足下にも及ばないだろう。人間の脳にある各ニューロンは、人工ニューラル・ネットワークのニューロンよりもはるかに複雑であり、まるで一つひとつのニューロン自体が複数の層からなる完成されたニューラル・ネットワークみたいなものだ。なので、人間の脳は860億個のニューロンで構成されるニューラル・ネットワークというよりも、むしろ860億個のニューラル・ネットワークで構成される巨大なニューラル・ネットワークといったほうが近い。さらに、人間の脳には、未解明のものも含めると、人工ニューラル・ネットワークよりもはるかに多くの複雑さが潜んでいる。

サンドイッチが飛び出す魔法の穴

　仮に、数秒ごとにランダムなサンドイッチが飛び出してくる魔法の穴が地面にあいているとしよう（もちろん、そうとう現実離れした例だということはわかっているけれど）。この穴の問題は、どんなサンドイッチが飛び出してくるのかまるきりわからないという点だ。具材は、ジャム、角氷、古い靴下などなんでもありだ。おいしいサンドイッチが食べたければ、1日じゅう穴の前にへばりついて、サンドイッチを一つひとつ仕分けしないといけない。

ちぇっ、耳垢サンドか。

　でも、それは退屈な作業だ。おいしいサンドイッチは千にひとつしかないけれど、それは噂によると信じられないくらいおいしいらしい。そこ

で、仕分け作業を自動化してみよう。

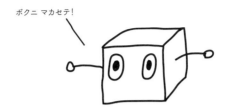

ボクニ マカセテ!

　わたしたち自身の時間と労力を節約するため、それぞれのサンドイッチを見て、おいしいかどうかを判別できるニューラル・ネットワークを構築するとする。ひとまず、どうやってサンドイッチの具材を認識させるのかという問題は、あまりにも難しいので脇に置いておくことにしよう。それから、ニューラル・ネットワークが飛び出してきたサンドイッチをどうキャッチするのかという問題もいったん脇に置いておこう。当たり前だけれど、穴から飛び出してきたサンドイッチの動きを正確に認識するのに加え、ものすごく薄っぺらい「紙と潤滑油のサンドイッチ」や、ものすごく分厚い「ボウリングの球とマスタードのサンドイッチ」を正確にキャッチするようロボット・アームに指示するのは至難の業だ。そこで、ニューラル・ネットワークはサンドイッチの具材を知っていて、サンドイッチを物理的に移動するという問題はすでに解決ずみだと仮定する。サンドイッチの具材を見て、人間が食べられるよう取っておくか、リサイクル・ボックスに投げこむかだけを判断すればいいとしよう。（リサイクル・ボックスの仕組みも無視する。別の魔法の穴があるものと考えてほしい。）

魔法のリサイクル・ホール
ブラックホールやタイムマシンは捨てないで。

これにより、作業は単純で幅の狭いものになる。第2章で学んだとおり、これは機械学習アルゴリズムで自動化するのにはうってつけの作業だ。わたしたちがつくりたいのは、一連の入力（具材の名前）を受け取り、単一の値（サンドイッチのおいしさを表わす数値）を出力するアルゴリズムだ。このアルゴリズムの"ブラックボックス"の中味を図解するとこんなふうになる。

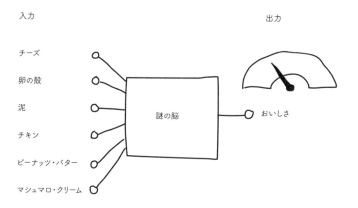

　サンドイッチの具材の組みあわせに応じて、「おいしさ」の出力が変化するようにしたい。たとえば、サンドイッチに卵の殻と泥が含まれていたら、こんな出力を返さなければならない。

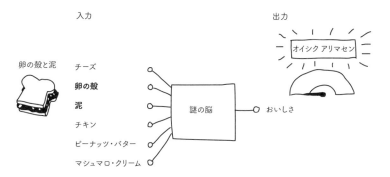

　一方、サンドイッチにチキンとチーズが含まれていたら、こんな出力を返さなければならない。

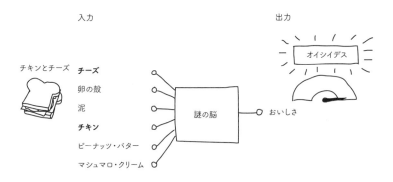

　このブラックボックスの内部の回路がどうなっているのかを見てみよう。

　まず、話を単純にしよう。すべての入力（具材）を単一の出力へとつなぐ。おいしさの評価値を得るために、それぞれの具材の点数を足しあわせる。もちろん、点数は具材によって異なる。チーズが入っていればサンドイッチはよりおいしくなるけれど、泥が入っていればサンドイッチはまずくなる。なので、具材によって重みを変える。おいしい具

材は重みが1、だれも食べたがらない具材は重みが0だ。すると、この
ニューラル・ネットワークは次のような感じになる。

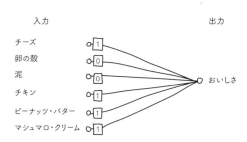

　いくつかのシンプルなサンドイッチでテストしてみよう。サンドイッチ
に泥と卵の殻が含まれているとする。泥と卵の殻は点数が両方とも0な
ので、おいしさの評価値は0＋0＝0だ。

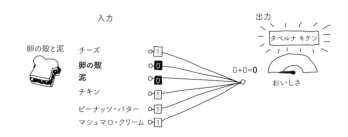

　一方、ピーナッツ・バターとマシュマロ・クリームのサンドイッチの
評価値は1＋1＝2となる（おめでとう！　ニューイングランドの名物料理、フラッ
ファーナターの完成だ）。

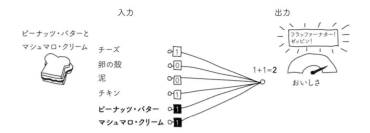

入力　　　　　　　　　　　　　　　　出力

ピーナッツ・バターと
マシュマロ・クリーム

チーズ
卵の殻
泥
チキン
ピーナッツ・バター
マシュマロ・クリーム

フラッファーナター！
ゼッピン！

おいしさ

1+1=2

　このニューラル・ネットワークの構成では、卵の殻や泥といった食べられないものだけを含むサンドイッチはすべて避けられる。でも、このシンプルな単層ニューラル・ネットワークでは、それだけで食べるとおいしいけれど、特定の具材と組みあわせると台無しになってしまう具材を判別できない。たとえば、チキンとマシュマロ・クリームのサンドイッチは、フラッファーナターに匹敵するほどおいしいと評価されてしまう。また、サンドイッチに枯れ葉が含まれていたとしても、それを打ち消すくらいおいしい具材がたくさん含まれていれば、総合的においしいと評価されてしまう可能性もある。この問題を**巨大サンドイッチ・バグ**と呼ぼう。

　もう少しまともなニューラル・ネットワークをつくるには、新しい層のセルが必要になってくる。

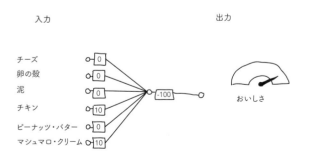

入力　　　　　　　　　　　　　　　　出力

チーズ
卵の殻
泥
チキン
ピーナッツ・バター
マシュマロ・クリーム

おいしさ

これが新しいニューラル・ネットワークだ。それぞれの具材は新しい層のセルに接続され、各セルが出力に接続されている。ユーザーには入力と出力しか見えないため、この新しい層は**隠れ層**と呼ばれる。先ほどと同じように、各接続には独自の重みが設定されているので、最終出力（おいしさ）にさまざまな形で影響を及ぼす。これはまだとうていディープ・ラーニングとは呼べないけれど（もっと多くの層が必要だ）、少しずつ近づいてはいる。

ディープ・ラーニング

　最初のニューラル・ネットワークに隠れ層を追加すると、サンドイッチを単なる具材の総和以上のものとして評価することのできる、より高度なアルゴリズムが得られる。本章では、隠れ層をひとつだけ追加したが、実世界のニューラル・ネットワークはいくつもの隠れ層を持つことが多い。新しい層が増えるたび、直前の層で得られた洞察を新たな形で組みあわせることになり、複雑さがどんどん跳ね上がっていく。多数の隠れ層を設け、高度な複雑さを実現するこの手法は、**ディープ・ラーニング**と呼ばれる。

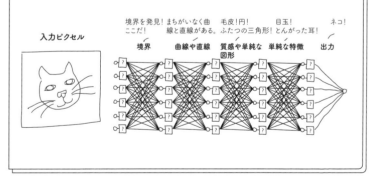

　このニューラル・ネットワークでは、まずい具材をあるセルに接続することによって、ようやくまずい具材を避けられるようになる。そのセル

のことを本書では「懲罰セル」と呼ぼう。懲罰セルに巨大な負の重み（たとえば–100）をつけ、まずい具材をすべて重み10として懲罰セルに接続する。たとえば、1番目のセルを懲罰セルとし、泥と卵の殻を懲罰セルに接続すると、こんな感じになる。

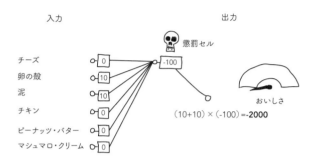

これで、ほかのセルで何があろうと、卵の殻か泥が含まれている時点で、そのサンドイッチはまちがいなくボツになるだろう。懲罰セルを使えば、巨大サンドイッチ・バグを克服できる。

残りのセルでも同じようなことを行えば、ようやくどの具材の組みあわせがおいしいかを判別できるニューラル・ネットワークがつくれるだろう。たとえば、2番目のセルを使用して、「チキン＆チーズ」系のサンドイッチを認識してみよう。このセルを「惣菜サンドイッチ・セル」と呼ぶことにする。まず、チキンとチーズを重み1（ハムと七面鳥とマヨネーズも同様）、残りのすべてを重み0として惣菜サンドイッチ・セルに接続する。そうしたら、惣菜サンドイッチ・セルを重み1として出力に接続する。惣菜サンドイッチ・セルはよいセルだけれど、あまり興奮しすぎてものすごく高い重みを割りあててしまうと、懲罰セルの威力が弱まりかねないのでほどほどにしないといけない。惣菜サンドイッチ・セルの仕組みを見てみよう。

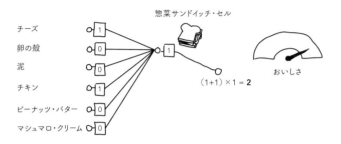

入力　　　　　　　　　　　　　　　　出力

惣菜サンドイッチ・セル

チーズ
卵の殻
泥
チキン
ピーナッツ・バター
マシュマロ・クリーム

（1+1）× 1 = **2**

おいしさ

　チキン&チーズ・サンドイッチが入力されると、惣菜サンドイッチ・セルは最終出力を1+1＝2だけ増加させる。でも、これだとチキン&チーズ・サンドイッチにマシュマロ・クリームを加えても、味は損なわれないということになってしまう。実際には、サンドイッチの味は客観的にかなり落ちるはずだ。この問題を修正するには、相性の悪い具材を見つけ、罰するセルが必要だ。

　たとえば、3番目のセルでは、チキンとマシュマロ・クリームの組みあわせを探し、このふたつを含むサンドイッチを厳しく罰することにする（このセルをマシュチキ・セルと名づけよう）。このマシュチキ・セルを図示すると次のようになるだろう。

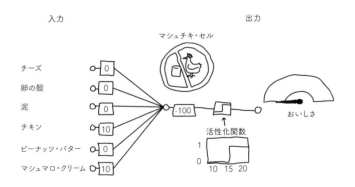

入力　　　　　　　　　　　　　　　　出力

マシュチキ・セル

チーズ
卵の殻
泥
チキン
ピーナッツ・バター
マシュマロ・クリーム

おいしさ

活性化関数

マシュチキ・セルは、チキンとマシュマロ・クリームの組みあわせを含むすべてのサンドイッチに（10＋10）×（−100）＝−2000という壊滅的な値を返す。これは、チキンとマシュマロ・クリームの組みあわせを罰するためだけにある非常に特殊な懲罰セルの役割を果たす。このマシュチキ・セルには、**活性化関数**と呼ばれる余分な要素がくっついている。これがないと、マシュチキ・セルはチキンとマシュマロ・クリームのどちら一方を含むすべてのサンドイッチを罰してしまう。この活性化関数のしきい値は15なので、具材にチキン（10点）またはマシュマロ・クリーム（10点）のどちらか一方しか存在しないときは、マシュチキ・セルはオンにならず、中立的な0という値が返される。ところが、チキンとマシュマロ・クリームの両方が存在すると（10＋10＝20点）、しきい値の15を上回るので、マシュチキ・セルはオンになる。ドカン！　活性化されたセルは、このしきい値を超えるすべての具材の組みあわせを罰するのだ。

マシュチキ

すべてのセルを同じように高度な構成でつなぎあわせれば、魔法の穴から飛び出す絶品サンドイッチをふるい分けられるニューラル・ネットワークの完成だ。

トレーニング・プロセス

これで、うまく構成されたサンドイッチ仕分けニューラル・ネットワークがどのようなものなのかがおわかりいただけたと思う。でも、機械学習を使用する意味は、手動でニューラル・ネットワークをセットアップする必要がないという点にある。ニューラル・ネットワークが自力でサンドイッチを仕分ける仕事の腕を磨いていくことができないといけないのだ。このトレーニング・プロセスはどのような仕組みになっているのだろう?

例として、単純な2層ニューラル・ネットワークに話を戻そう。トレーニング・プロセスは完全にゼロから始まり、ニューラル・ネットワークはまずそれぞれの具材にランダムな重みを与える。たぶん、この時点ではサンドイッチの評価はかなりお粗末だろう。

トレーニングには実世界のデータが必要になる。生身の人間がお手本を示すサンドイッチの正しい評価方法の例だ。ニューラル・ネットワークはサンドイッチを評価するたび、協力者であるサンドイッチ審査員たちの出した評価と比較することになる。ひとつ警告 ── 機械学習アルゴリズムの初期段階のテストには参加しないほうがいい。きっと。

この例では、ごくごく単純なニューラル・ネットワークへと立ち返ろう。ゼロからトレーニングしようとしているので、正しい重みのつけ方に関する今までの知識はみんな忘れ、ランダムな重みから始める。たとえば、

こんな感じだ。

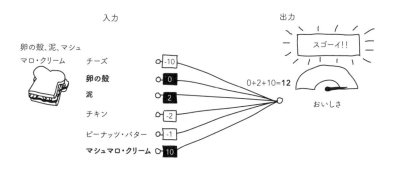

入力 | 出力

卵の殻、泥、マシュ
マロ・クリーム

チーズ -10
卵の殻 0
泥 2
チキン -2
ピーナッツ・バター -1
マシュマロ・クリーム 10

0+2+10=**12**

スゴーイ!!

おいしさ

　チーズは大嫌い。マシュマロ・クリームは大好き。泥はまあまあ好き。
卵の殻はあってもなくてもいいみたいだ。

　このニューラル・ネットワークは、魔法の穴から飛び出してくる最初
のサンドイッチを見て、その（お粗末な）判断力を使って点数をはじき
出す。マシュマロ・クリーム、卵の殻、泥のサンドイッチは、10＋0＋2
＝12点だ。すごい！　かなりの高得点だ！

　そこで、このサンドイッチを人間の審査員にふるまう。厳しい現実が
待っている。大不評だ。

　ここで、ニューラル・ネットワークの改良のチャンスがめぐってくる。
重みが少しちがっていたらどうなっていただろう？　このサンドイッチだ
けでは、どこに問題があるのかわからない。マシュマロ・クリームを高
く評価しすぎたのか？　卵の殻は0点ではなく、ちょっとでも評価を下
げたほうがいいのか？　この時点では、わからない。でも、10個のサ
ンドイッチを調べ、自分の点数と人間の審査員の点数を比べれば、全
般的に泥の重みを下げ、泥を含むサンドイッチの点数を抑えたほうが、
人間の審査員の点数に近くなると気づくかもしれない。

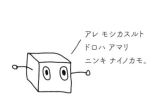

　重みを調整し終わると、新たな評価プロセスの開始だ。さらに多く
のサンドイッチを評価し、自分の点数を人間の審査員の点数と比較し、
また重みを調整する。何千回と評価プロセスを繰り返し、何万枚とサ
ンドイッチを食べさせられた人間の審査員たちはほとほとうんざりだろ
うが、ニューラル・ネットワークは当初とは比べものにならないほど進
歩している。

　しかし、進歩の過程にはたくさんの落とし穴がある。先ほど話したよ
うに、この単純なニューラル・ネットワークは、ある具材が一般的に
おいしいのかまずいのかしか知らないので、どの具材とどの具材を組み
あわせるとおいしくなるのかという微妙な判断ができない。そのために
は、多くの隠れ層を持つような、より高度な構造が必要になる。つまり、
懲罰セルや惣菜サンドイッチ・セルのようなものを進化させる必要があ
るのだ。

デモ サッキハ
マシュマロ クリームガ
スキダト イッテタデショ。

あれにはホウレンソウとチーズが
入っていなかったからだよ!

　もうひとつ注意しなければならない落とし穴は、**不均衡データ**（class imbalance 、クラス不均衡ともいう）の問題だ。魔法の穴から出てくるサンドイッチのうち、おいしいのは千にひとつだったのを思い出してほしい。ニューラル・ネットワークは、それぞれの具材の重みづけの方法や組みあわせ方を必死で理解する代わりに、どのサンドイッチも問答無用でまずいと評価してしまえば99.9％の確率で正解することに気づくかもしれない。

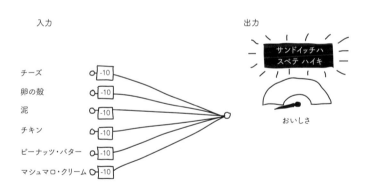

入力

チーズ -10
卵の殻 -10
泥 -10
チキン -10
ピーナッツ・バター -10
マシュマロ・クリーム -10

出力

サンドイッチハ
スベテ ハイキ

おいしさ

　不均衡データの問題に対処するには、おいしいサンドイッチとまずいサンドイッチがほぼ半々になるよう、トレーニング用のサンドイッチを事前にふるい分けておく必要があるだろう。それでも、ニューラル・ネットワークは、ふつうは避けたほうがいいけれど、特殊な状況にかぎっておいしい具材について、いっこうに学習しないかもしれない。マシュマ

ロ・クリームはそうした具材の例だ。ほとんどの具材とは相性が悪い
けれど、ピーナッツ・バターと組みあわせた場合にかぎっておいしくな
る（チョコレートやバナナとも合うかも）。ニューラル・ネットワークがトレー
ニング中にこの組みあわせをいちども（またはめったに）見なければ、マ
シュマロ・クリームを含むサンドイッチはことごとくボツにして、正解率
を上げようとしてしまうかもしれない。

不均衡データにまつわる問題は、実世界でもしょっちゅう現われ
る。とりわけ、AIにまれな事象を検出させようとしたときに起こるこ
とが多い。たとえば、顧客がある企業のサービスを解約するタイ
ミングを予測しようとしたとする。ところが、サービスを解約する
顧客よりも、使いつづける顧客の例のほうが圧倒的に多いと、AI
は近道をして、すべての顧客が永久にサービスを使いつづけると
判断してしまう危険性がある。不正ログインやハッキング攻撃の検
出にも同じような問題がつきまとう。実際に攻撃が行われることは
まれだからだ。医療画像の識別にも不均衡データの問題が報告
されている。何百枚という画像のなかからたったひとつの異常な
細胞を見つけるのが本来の目的なのだが、AIはすべての細胞を
健康な細胞だと予測し、手軽に精度を上げようとしてしまう。天
文学者がAIを使おうとすると、やはり不均衡データの問題に直面
することになる。興味深い天体事象の多くはめったに起こらない。
ある太陽フレアの検出プログラムは、太陽フレアがまったく起こら
ないと予測すれば100％近い精度を達成できることに気づいた。
トレーニング・データのなかに太陽フレアの例がほとんど含まれて
いなかったからだ[2]。

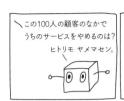

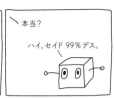

この100人の顧客のなかでうちのサービスをやめるのは？	週1回のゴキブリ宅配プランに入っている顧客も？	本当？
ヒトリモ ヤメマセン。	ヒトリモ ヤ・メ・マ・セ・ン。	ハイ。セイド 99％ デス。

複 数 の セ ル が 連 動 す る と … …

　先ほどのサンドイッチの仕分けの例では、新しい層が増えるたび、ニューラル・ネットワークの実行できる作業の複雑さが増すことがわかった。そこでは、肉とチーズの組みあわせに反応する惣菜サンドイッチ・セルと、チキンにマシュマロ・クリームを組みあわせたサンドイッチを罰するマシュチキ・セルを構築した。しかし、試行錯誤を通じてセルどうしの接続を調整し、自分自身でトレーニングを重ねていくニューラル・ネットワークの場合、それぞれのセルの具体的な役目を見分けるのはずっと難しくなる。作業は複数のセルに分散される傾向があるし、セルによっては、どんな作業を実行しているのかがわかりにくい、あるいはまったくわからない場合もある。

　この現象について探るため、十分なトレーニングを受けたニューラル・ネットワークのセルをいくつか見てみよう。OpenAI[3]の研究者たちが開発してトレーニングを行ったそのニューラル・ネットワークは、8200万件以上のAmazonレビューを文字単位で分析し、次に来る文字を予測するというものだった。これも再帰型ニューラル・ネットワークの一種であり、第1章と第2章で紹介したノックノック・ジョーク、アイスクリーム・フレーバー、レシピを生成するニューラル・ネットワークと同じ汎用的なものだけれど、規模はずっと大きく、クラゲ並みの数

のニューロンを持つ。このニューラル・ネットワークが生成したレビュー
をいくつか見てみよう。

> 最高の本です。同じシリーズの本や登場人物たちのすばらしい物
> 語が大好きな人になら、だれにでもオススメします。
>
> 大好きな曲です。何度も何度も聞いていますが、ぜんぜん飽きま
> せん。病みつきになります。最高!!
>
> 今までシャワー室の掃除に使ってきた商品のなかでもピカイチです。
> ベタつかないですし、水から水が剝がれませんし、白いカーペッ
> トにシミがつくこともありません。数年前から使っていますが、わた
> しにとっては大助かりです。
>
> このエクササイズDVDは超役立ちます。お尻全体がカバーできます。
>
> ガレージにぴったりだと思ってこれを買いました。湖の水がたくさ
> んある人なんてどこにいるでしょう？　わたしが完全にまちがってい
> ました。シンプルで高速でした。例の夜のグリズリーがやってきて
> もまったく傷つきませんし、もう3か月以上使っています。ゲストたち
> も大喜びで、すごく楽しんでいます。わたしの父も愛用しています!

　このニューラル・ネットワークは、出てきた文字または句読点をひと
つの入力として受け取り（サンドイッチの具材をひとつの入力として受け取るサ
ンドイッチ仕分けニューラル・ネットワークと似ている）、過去のいくつかの文
字や句読点を調べることができる。（サンドイッチ仕分けニューラル・ネット
ワークの出力する点数が、直前のいくつかのサンドイッチにやや依存していたのと似
ている。おそらく、人間がチーズ・サンドイッチにうんざりしているかどうかを追跡し、
それに応じて次のチーズ・サンドイッチの評価を調整するのだろう。）しかし、出

力がたったひとつしかないサンドイッチ仕分けニューラル・ネットワークとはちがって、レビュー生成ニューラル・ネットワークには数多くの出力がある。それぞれの文字や句読点に対して、レビューの文章で次に来る可能性がもっとも高い文字や句読点をひとつ出力する。たとえば、「I own twenty eggbeaters and this is my very favorit」（わたしは泡立て器を20台も持っていますが、これがいちばんのお気に入りです）という文字列なら、次に来る可能性がもっとも高い文字はeになる［訳注／「お気に入り」という意味のfavoriteという単語の最後のeが欠けているため］。

　こうした出力に基づき、"活性化"しているセルを調べることで、そのセルの機能がどういうものなのかを推測することができる。先ほどのサンドイッチ仕分けニューラル・ネットワークの例でいうと、惣菜サンドイッチ・セルは、たくさんの肉やチーズを見れば活性化し、靴下、ビー玉、ピーナッツ・バターを見れば不活性化する。でも、Amazon製品レビュー・ニューラル・ネットワークのニューロンのほとんどは、惣菜サンドイッチ・セルや懲罰ニューロンのように、直感的に解釈できるわけではない。むしろ、このニューラル・ネットワークが導き出したルールは、わたしたちにとって理解不能なものが大半を占めることだろう。あるセルの機能を推測できる場合もあるけれど、見当もつかないケースのほうが圧倒的に多いはずだ。
　一例として、ある製品レビュー・アルゴリズムのセルのひとつ（2387番目のセル）がレビューを生成するときの活動を見てみよう（薄い灰色＝活性化、黒＝不活性化）。

> For me, this is one of the few albums of theirs I own that actually made me an instant classic pop fan. I also had a major problem with the audio with 10 new songs; the execution of the vocals and editing was awful. The next day, I was in a recording studio and I can't tell you how many times I had to hit the play button to see where the song was going.
>
> わたしにとって、これはわたしを一瞬でクラシック・ポップのファンにしてくれた彼らの数少ないアルバムのひとつです。ですが、10曲の新曲では音声に重大な問題もありました。ボーカルと編集のできばえは最悪でした。翌日、わたしはレコーディング・スタジオに行ったのですが、曲がどこへ向かうのかを確かめるために何回再生ボタンを押すはめになったかわかりません。

　このセルは、次に来る文字を予測するのに一定の貢献をしているはずだが、その機能は謎に包まれている。特定の文字（またはその組みあわせ）に反応していることは確かだけれど、どう反応しているのかはよくわからない。albumのumという文字には興奮しているのに、alという文字には興奮していないのはなぜなのか？　このセルの機能は？　これはほかの数々のセルと関連している難問のほんの小さな一部にすぎない。ニューラル・ネットワークのほとんどのセルは、このセルと同じくらい謎めいているのだ。

　でも、その機能がはっきりとしているセルもごくまれにある。たとえば、開きカッコと閉じカッコのあいだにあるときは常に活性化するセルや、文章が長くなるにつれてどんどん活性化していくセルだ[4]。この製品レビュー・ニューラル・ネットワークのトレーニングを行った人々は、機能がはっきりとしているセルをひとつ発見した——そのセルは、レビューの内容が肯定的か否定的かに反応していたのだ。このニューラル・ネットワークは、次の文字を予測する過程で、製品を褒めるかけなす

かを決めることが重要だと判断したようだ。この"感情ニューロン"の活性化の様子を、先ほどのレビューを例にして見てみよう。灰色の部分は、ニューロンが非常に活性化していて、その部分を肯定的なレビューだととらえていることを意味する。

> For me, this is one of the few albums of theirs I own that actually made me an instant classic pop fan. I also had a major problem with the audio with 10 new songs; the execution of the vocals and editing was awful. The next day, I was in a recording studio and I can't tell you how many times I had to hit the "play" button to see where the song was going.

　最初、レビューはとても肯定的な内容から始まっていて、感情ニューロンは非常に活性化している。ところが、途中でレビューのトーンが変わり、セルの活性化レベルが大きく低下している。

　もうひとつ、感情ニューロンの働きの例を紹介しよう。レビューの内容が中立的または批判的なあいだは、感情ニューロンはあまり活性化していないけれど、感情の変化を検出したとたんに活性化しているのがわかる。

> The Harry Potter File, from which the previous one was based（which means it has a standard size liner）weighs a ton and this one is huge! I will definitely put it on every toaster I have in the kitchen since, it is that good. This is one of the best comedy movies ever made. It is definitely my favorite movie of all time. I would recommend this to ANYONE!

今回のハリー・ポッター・ファイルは、前回のファイルのもとになっ

たものですが（つまり、ジャケットは標準サイズ）、とんでもない重量で、おまけにめちゃくちゃ巨大です！ 必ず、台所にあるぜんぶのトースターに取りつけようと思います。それくらいすばらしいからです。これは、史上最高のコメディ映画のひとつだと思います。まちがいなくわたしのお気に入りの一作です。すべての人にオススメします！

一方、感情が読み取りづらいタイプの文章もあるようだ。次の文章は、エドガー・アラン・ポーの『アッシャー家の崩壊』から抜き出した一節だ。ほとんどの人は肯定的な感情とは分類しないだろうが、このニューラル・ネットワークはおおむね肯定的な内容ととらえているようだ。

Overpowered by an intense sentiment of horror, unaccountable yet unendurable, I threw on my clothes with haste (for I felt that I should sleep no more during the night,) and endeavoured to arouse myself from the pitiable condition into which I had fallen, by pacing rapidly to and fro through the apartment.

私は激しい恐怖心に襲われ、その正体はわからないまま、ともかく耐えがたい恐ろしさにじっとしていられず、急いで着替えると（もはや寝られそうな夜ではない）、こうして落ち込んだ悲惨な状態から覚醒しようとして、室内を足早で行ったり来たり歩きだした。（『アッシャー家の崩壊／黄金虫』小川高義訳、光文社古典新訳文庫）

観る人を強烈な恐怖の感情でいっぱいにする映画は、それが本来の目的なら、すばらしい映画ということになるだろう。

それでもやはり、文章生成アルゴリズムや文章分析アルゴリズムのなかで、感情ニューロンほど働きの明確なセルが見つかることはそう多くない。同じことは、そのほかのタイプのニューラル・ネットワークに

もいえる。これはとても残念なことだ。ニューラル・ネットワークが残念なミスを犯しているかどうかを見分け、その戦略から教訓を得ることができないのだから。

ただし、画像認識アルゴリズムの場合、明確な役割を持つセルを見分けるのはもう少し簡単だ。入力はある画像の個々のピクセルであり、出力はその画像のさまざまな分類方法（犬、ネコ、キリン、ゴキブリなど）だ。ほとんどの画像認識アルゴリズムには、正しく分析すれば機能を明確に特定できる無数の層のセル —— つまり隠れ層 —— がある。調べるためには、あるモノを見たときに活性化するセルを調べたり、入力画像を変えてみて、どういうときにセルがもっとも強く活性化するかを確かめたりすればよい。

AIが見る深い夢 <small>（ディープ・ドリーム）</small>

画像に手を加えてニューロンを興奮させるというのは、かの有名なGoogle DeepDream画像を作成するために使われている手法だ。Google DeepDreamの画像認識ニューラル・ネットワークは、なんの変哲もない画像を、奇妙な犬の顔、幻想的なアーチや窓だらけの風景へと変えてしまう。

DeepDream画像を作成するには、まず何か（たとえば犬）を認識するようトレーニングされたニューラル・ネットワークから始める。次に、ひとつのセルを選び、そのセルが興奮度を増していくような形で画像に少しずつ変化を加えていく。そのセルが犬の顔を認識するようにトレーニングされているとしたら、画像内で犬の顔のように見える領域を見るほど興奮する。そのセルが気に入るように画像を変化させていくと、やがて画像は大きくゆがみ、そこらじゅうが犬の顔だらけになるのだ。

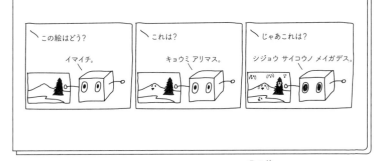

　もっとも小さいセルのグループは、物体の境界(エッジ)、色、ごく単純な質感(テクスチャ)を探すようだ。その結果、垂直線、曲線、草原のような質感を報告するかもしれない。その次の層にあるもう少し大きなセルのグループは、境界、色、質感の集合や、単純な特徴を探す。たとえば、Googleのある研究者たちは、GoogLeNeT画像認識アルゴリズムを分析した結果、動物のだらんと垂れた耳とピンととがった耳だけをひたすら探しているセルがあることを発見した。これは犬とネコを見分けるのに役立った[5]。ほかに、毛皮や目玉を見つけると興奮するセルもあった。

　画像生成ニューラル・ネットワークにも、はっきりとした役割を果たすセルがいくつかある。画像生成ニューラル・ネットワークに"脳手術"を行い、特定のセルを除去すれば、生成される画像の変化を確かめられる[6]。マサチューセッツ工科大学（MIT）のあるグループは、特定のセルを不活性化すれば、生成される画像からいろいろな要素を削除できるということを発見した。ところが、面白いことに、ニューラル・ネットワークが"必須"とみなした要素は、そうでない要素よりも削除するのが難しかった。たとえば、会議室の画像からカーテンを削除するほうが、机や椅子を削除するよりも簡単だった。

　次に、もうひとつ別の種類のアルゴリズムを見てみよう。スマホの入力予測機能を使ったことがある人なら、きっと直接触れた経験があると思う。

マルコフ連鎖

マルコフ連鎖は、本書でレシピ、アイスクリーム・フレーバー、Amazonレビュー、メタル・バンド名を生成した再帰型ニューラル・ネットワーク（RNN）と同じ問題の多くに取り組むことのできるアルゴリズムだ。マルコフ連鎖は、RNNと同じように、過去に起きたこと（前に使われた単語、先週の天気など）を見て、次に起こる可能性がもっとも高いことを予測する。

マルコフ連鎖は、ほとんどのニューラル・ネットワークよりも軽く、トレーニングしやすい。だからこそ、スマホの入力予測機能はふつうRNNではなくマルコフ連鎖なのだ。

でも、マルコフ連鎖は記憶が増えるにつれて指数関数的に扱いにくくなる。たとえば、入力予測用のマルコフ連鎖には、たいてい3〜5単語程度の記憶しかない。対照的に、RNNは数百単語の記憶、さらには**長短期記憶**（LSTM）や畳み込みの手法を用いた場合にはそれよりも長い記憶を持つことができる。第2章で説明したとおり、RNNは記憶力の悪さのせいで重要な情報を見失ってしまうことがあるので、記憶の長さが重要になるが、それと同じことがマルコフ連鎖にもいえる。

わたしはトレーニング可能な入力予測キーボードを使い、ディズニー・ソングのデータセットに基づいてあるマルコフ連鎖をトレーニングした[7]。トレーニングは、RNNの場合の数分間とはちがい、ほんの数秒間で完了した。問題は、このマルコフ連鎖には3単語の記憶しかないという点だった。つまり、このマルコフ連鎖が提案する単語は、同じ曲の直前の3単語に基づいてもっとも可能性が高いと思われる単語ということになる。毎回、第1候補の単語だけを選び、このマルコフ連鎖に曲をつくらせてみたところ、こんな曲が生成された。

［　The sea）（海））

under the sea）（海の底））
　　　under the sea）（海の底））
　　　under the sea）（海の底））
　　　under the sea）（海の底））
　　　under the sea）（海の底））
　　　under the sea）（海の底））

　いったい何回「海の底」と歌えばいいのかすらわかっていない。自分がそれまでに何回歌ったかを覚えていないからだ。

　曲「美女と野獣」（「遠い昔の物語（Tale as Old as Time）」）の冒頭から始めてみると、やっぱりすぐに行きづまってしまった。

　　　Tale as old as time（遠い昔の物語）
　　　song as old as time（遠い昔の歌）
　　　song as old as time（遠い昔の歌）
　　　song as old as time（遠い昔の歌）

「美女と野獣」には、「遠い昔の物語（tale as old as time）」という歌詞の直後に「遠い昔の歌（song as old as rhyme）」という歌詞が続くところが何か所かある。でも、このマルコフ連鎖は、「遠い昔の（as old as）」というフレーズを見ているとき、ふたつのうちのどちらを書こうとしているのかわかっていない。

　毎回第1候補ではなく第2候補を選ぶようにすれば、いちおうこの罠からは抜け出せる。すると、こんな曲ができあがる。

　　　A whole world（まるまるひとつの世界）
　　　bright young master（若くて聡明な主人）
　　　you're with all（あなたはみんなと一緒）
　　　ya think you're by wonder（きっとあなたは驚きに包まれる）

> by the powers（おおいなる力に）
> and i got downhearted（そしてわたしは落ちこんだ）
> alone hellfire dark side（ひとりきり、罪の炎と裏の顔）

そして、毎回第3候補を選ぶと、こんな曲ができあがる。

> You think i can open up（わたしなら心を開けるとお思いでしょう）
> where we'll see how you feel（あなたの気持ちが見える）
> it all my dreams will be mine（わたしの夢はみんなわたしのもの）
> is something there before（ずっと前からそこにあるもの）
> she will be better time（きっと彼女はよくなるわ）

　こっちのほうがずっと面白いけれど、意味不明だ。歌や詩は、文法、構造、一貫性に関してはかなり寛容だけれど、同じマルコフ連鎖に、学習材料として別のデータセットを与えると、その欠点がいっそう浮き彫りになる。
　次に示すのは、エイプリル・フールの日のいたずらリストに基づいてトレーニングしたマルコフ連鎖だ。毎回、次に来る可能性がもっとも高い単語を選んだ。（句読点は提案されなかったので、わたしの判断で改行を追加した。）

> The door knob off a door and put it back on backwards softly
> （ドアノブをドアからはずし、そっと逆向きにつけ替えておく）
> Do nothing all day to a co of someone's ad in the paper for a garage sale at someone of an impending prank
> （いたずら相手の家のガレージ・セールについて告知する新聞広告の会社に対して1日じゅう何もしない）
> Then do nothing all day to a co of someone's ad in the

paper for a garage sale at ...

（さらに、ガレージ・セールについて告知する新聞広告の会社に対して1日じゅう何もしない）

　入力予測用のマルコフ連鎖を使って、顧客との会話を続けたり、新作ビデオ・ゲームのクエストとして使える物語を書いたりするのは難しいだろう（RNNにいつかそういうことをさせようという取り組みは続けられているが）。ただ、特定のトレーニング・セットのなかで次に来る可能性の高い単語を提案することなら、マルコフ連鎖にもできる。

　たとえば、クリエイティブ集団Botnikの人々は、さまざまなデータセット（ハリー・ポッターの小説、『スタートレック』のエピソード、Yelpのレビューなど）に基づいてトレーニングされたマルコフ連鎖を使って、人間の作家に単語を提案するという取り組みを行っている。マルコフ連鎖による思わぬ提案が、作家の書く文章に奇妙で超現実的なひねりを加えるのに役立つことも少なくないのだという。

　記憶力の悪いマルコフ連鎖に次の単語を選んでもらう代わりに、いくつかの選択肢を提示してもらうという方法もある。ちょうど、スマホでメールを書いているときに入力予測機能が行うのと同じように。

　そこで、ハリー・ポッターの小説に基づいてトレーニングされたBotnikのマルコフ連鎖とのやり取りの一例を紹介しよう。

Harry stared incredulously at dumbledore as he sat in a pool of |
（ハリーは信じられない様子でダンブルドアを見つめた。彼は）

ソース：ハリー・ポッター	シャッフル 🔀	公開 ⇧
the その	his 彼の	her 彼女の
them 彼らを	a ある	him 彼を
it それを	what 何	harry's ハリーの
parchment 羊皮紙	sight 光景	course 課程
harry ハリー	magic 魔法	magical 魔法の
green 緑	panic パニック	their 彼らの

　また、トレーニングずみのマルコフ連鎖の入力予測を頼りに、わたしが書いたエイプリル・フールの新しいいたずらをいくつか紹介しよう。

Put plastic wrap pellets on your lips.
（プラスチック・ラップの粒を唇にたくさんくっつける。）

Arrange the kitchen sink into a chicken head.
（台所のシンクをニワトリの頭の形へとアレンジする。）

Put a glow stick in your hand and pretend to sneeze on the roof.
（ケミカル・ライトを手に持って、屋上でくしゃみするまねをする。）

Make a toilet seat into pants and then ask your car to pee.
（便座でズボンをつくり、自動車におしっこするよう頼む。）

比較のため、大量のデータを使ったより複雑なRNNでも、エイプリル・フールのいたずらを生成してみた。今回は、句読点等も含め、RNNがいたずらをまるごと生成したが、やはり人間の創造性は欠かせない。わたしがRNNの生成したいたずらにすべて目を通し、特に面白いものだけをピックアップした。

Make a food in the office computer of someone.

（だれかのオフィス・コンピューターのなかで食べ物をつくる。）

Hide all of the entrance to your office building if it only has one entrance.

（オフィス・ビルに入口がひとつしかない場合、入口をすべて隠す。）

Putting googly eyes on someone's computer mouse so that it won't work.

（だれかのコンピューター・マウスに動く目玉を取りつけ、マウスを使えなくする。）

Set out a bowl filled with a mix of M&M's, Skittles, and Reese's Pieces.

（M＆M's、スキットルズ、リーシズピーシズをいっぱいに混ぜあわせたボウルを用意する。）

Place a pair of pants and shoes in your ice dispenser.

（製氷機のなかにあなたのズボンと靴を入れておく。）

　ケータイのメール・アプリに搭載されている入力予測機能を使っても、似たような実験ができるので、ぜひ試してみてほしい。「わたしが生まれたのは……」とか「昔々……」から始めて、ケータイの提案する単語をクリックしつづけると、機械学習アルゴリズムの内部からおかしな文章がそのまま飛び出してくる。しかも、新しいマルコフ連鎖のトレーニングは比較的手軽で簡単に行えるので、あなただけの文章を生

成することができる。あなたのケータイに搭載されている入力予測や
オートコレクト用のマルコフ連鎖は、入力内容に基づいてトレーニング
を重ね、あなたが文字を入力するたびに更新されていく。なので、ひ
とたびタイプ・ミスをしてしまうと、しばらく誤字に悩まされつづけるこ
ともある。

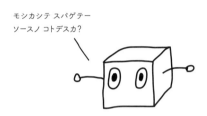

モシカシテ スパゲテー
ソースノ コトデスカ?

　Googleドキュメントも、オートコレクト機能によって「a lot」が
「alot」、「going」が「gonna」に勝手に変わってしまうという苦情が
相次いだとき、似たような効果の餌食になったのかもしれない。
Googleはインターネット全体をスキャンする文脈認識オートコレクト機
能を用いて、ユーザーへの提案の内容を決めていた[8]。文脈認識オー
トコレクト機能の長所は、惜しいタイプ・ミス（「going」の代わりに
「gong」と入力してしまったケースなど）を見つけてくれたり、世の中で使わ
れるようになったばかりの単語がいち早く追加されたりするという点だ。
でも、インターネットのユーザーならだれにでも心当たりがあるように、
一般的な言葉の用法が、ワープロのオートコレクト機能に求められる
文法的に“正しい”用法と一致することは少ない。Googleはこうしたオー
トコレクトのバグについて具体的に説明していないものの、ユーザーから
報告があるとバグはなくなる傾向があるようだ。

ランダム・フォレスト

　ランダム・フォレスト・アルゴリズムは、一連の入力データに基づく

予測や分類にたびたび使われる機械学習アルゴリズムの一種だ。たとえば、顧客の行動の予測、オススメの本の提案、ワインの品質の評価など、その使い道はさまざまだ。

森（フォレスト）を理解したければ、まずは木に目を向けるといい。ランダム・フォレスト・アルゴリズムは、**決定木**（けっていぎ）と呼ばれる個々の単位で構成されている。決定木とはいわば、手元にある情報に基づいて結果を導き出すフローチャートみたいなものだ。そして、面白いことに、決定木は上下逆さまの木のように見える。

次の図に示したのは、巨大ゴキブリ飼育場から避難したほうがいいかどうかを決定する架空の決定木の例だ。

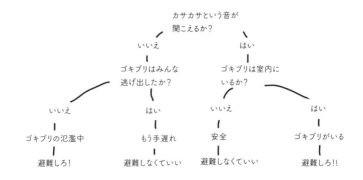

この決定木は、情報（不気味な足音、ゴキブリの存在）を用いて、状況への対応のしかたを決める方法を追ったものだ。ニューラル・ネットワークのセルの数が増えるにつれてサンドイッチの仕分けの精度が高くなっていくように、決定木が大きくなればなるほど、ゴキブリの状況に対してより繊細に対処できる。

ゴキブリ飼育場が不気味なほど静かなのに、ゴキブリがまだ逃げ出していないとしたら、「全滅した」以外の（もっとヤバい）理由があるかもしれない。決定木をもっと大きくすれば、死んだゴキブリが周囲にいるか、ゴキブリはどれくらい賢いか、ゴキブリ粉砕機が不思議な壊れ

方をしていないかを問うこともできる。

　入力や選択肢が増えると、決定木は超複雑に（ディープ・ラーニングのプログラミング用語を使うなら、非常に深く）なることもある。決定木はトレーニング・セット内のありとあらゆる入力、意思決定、結果を網羅するほど深くなることもあるけれど、そうなるとそのチャートはトレーニング・セット内に存在する状況にしか使えなくなる。つまり、トレーニング・データに対して過剰適合してしまうのだ。人間の専門家なら、過剰適合を避け、無関係な細かいデータにまどわされることなくほとんどの意思決定に対応できる巨大な決定木をうまく構築することができる。たとえば、前回ゴキブリが逃げ出したときに空が曇っていて涼しかったとしても、人間ならその日の天気とゴキブリの脱走に必ずしも因果関係がないということが直感的にわかる。

　しかし、人間が念入りに巨大な決定木をつくる代わりに、機械学習のランダム・フォレスト手法を用いるという手もある。ニューラル・ネットワークが試行錯誤を通じてセルどうしを接続していくのとほぼ同じ方法で、ランダム・フォレスト・アルゴリズムは試行錯誤を通じて自分自身を構成していく。ランダム・フォレストは、それぞれがちょっとした情報を考慮して小さな決定を下す、一連の微小な（つまり浅い）木で構成されている。トレーニング・プロセスの最中、浅い木は、それぞれどのような情報に注意を払い、どういう結果を出力すべきなのかを学習していく。といっても、ごく限られた情報に基づいているため、それぞれの小さな木が下す決定はたいしてあてにならないだろう。それでも、フォレスト内のすべての小さな木が決定を出しあい、最終結果について投票を行えば、個々の木よりもずっと正確な決定が出せるだろう。（同じ現象は人間の投票者にもいえる。びんのなかのビー玉の個数を予想しようとすると、個人個人の予想は大きくばらつくけれど、予想の平均を取ると実際の個数にかなり近くなる。）ランダム・フォレスト内の木は、あらゆる話題に関する決定を寄せ集めることで、めまいがするほど複雑なシナリオの正確な全体像を描き出すことができる。最近の応用例としては、たとえば、数

十万ものゲノム・パターンを選り分け、大腸菌感染の危険な大流行の原因となる家畜の種を特定するという試みがあった[9]。

　ゴキブリの状況に対処するためにランダム・フォレストを使った場合、いくつかの木は次のような形になるだろう。

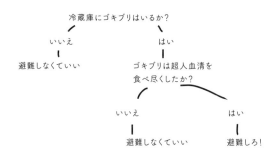

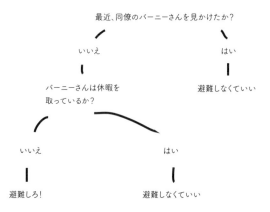

　ここで、個々の決定木が見ているのは、現在の状況のほんの小さな一面にすぎないということに注意してほしい。バーニーの姿が見当たらない理由について、完全に筋の通った説明があるかもしれない。たとえば、ただ単に病欠しているなど。また、ゴキブリが超人血清を食べ

尽くしていないからといって、従業員が安全だとはいいきれない。ゴキブリは超人血清のほんの一部を持ち帰り、こうしている今も、施設内にいる17億匹のゴキブリに十分行き渡る量の血清をせっせとつくっている可能性だってある。

でも、これらの木が個々の直感を組みあわせるとどうなるだろう？バーニーが謎の失踪を遂げ、血清がなくなっていて、パスワードがどういうわけか変更されたとすれば、避難するのが賢明な判断かもしれない。

進化的アルゴリズム

AIは、適切な解について推測を立て、その推測をテストすることにより、自身の理解を深めていく。先ほど紹介した3つの機械学習アルゴリズムはどれも、試行錯誤を通じて自分自身の構造を改良し、問題を最適に解決できるニューロン、鎖、木を構成する。いちばんシンプルな試行錯誤の方法は、ひたすら改善の道を選びながら進んでいくというものだ。スーパーマリオブラザーズの得点のように、なんらかの数値を最大化しようとしている場合には**山登り法**、逃げ出したゴキブリの数のように、なんらかの数値を最小化しようとしている場合には**最急降下法**と呼ばれることが多い。しかし、目標に一歩ずつ近づいていくというこの単純なプロセスは、いつも最善の結果につながるとはかぎらない。単純な山登り法の落とし穴を思い描くために、あなたが（深い霧の立ちこめる）山の中腹にいて、山頂を目指しているところを想像してほしい。

最適な解！

イマイチな解！

単純な山登り法を使った場合、何がなんでも上に進もうとする。ところが、出発地点によっては、高いほうの山頂（**大域的な最大値**）ではなく、低いほうの山頂（**局所的な最大値**）に行き着いてしまうかもしれない。

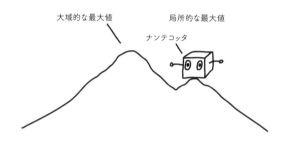

　一方、同じ山のさまざまな方面を試す、より複雑な試行錯誤の方法もある。いくつかの方向から山登りを試してみて、いちばん有望なエリアを決めるのだ。この戦略を使えば、より効率的に山を探索できるだろう。

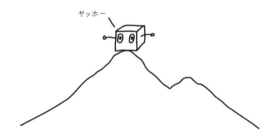

　機械学習の用語では、この山のことを**探索空間**と呼ぶ。探索空間のどこかに目標があり（つまり、山のどこかに山頂があり）、あなたはその目標に到達しようとしている。探索空間のなかには、初歩的な山登り法で毎回山頂に到達できる凸な空間もあるが、ずっと厄介な空間もある。

最悪なのは、いわゆる**干し草の山のなかの針問題**（needle-in-the-haystack problem）だ。この種の問題では、実際に最適解が見つかるまで、最適解にどれくらい近づいているのかほとんど見当がつかない。素数探しはその一例だ。

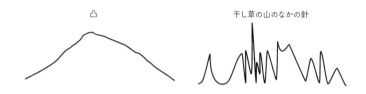

凸

干し草の山のなかの針

　機械学習アルゴリズムの探索空間はどんなものでもかまわない。たとえば、歩行ロボットの構成部品の形状でもいい。または、あるニューラル・ネットワークの取りうる一連の重みでもいい（この場合、指紋や顔の識別に役立つ最適な重みが"山頂"ということになる）。あるいは、探索空間はランダム・フォレスト・アルゴリズムの考えうる構成の集合であり、目標はある顧客の好みの本（またはゴキブリ飼育場から避難すべきかどうか）を正確に予測できる構成を見つけること、というケースもあるだろう。

　先ほど学んだように、探索空間がニューラル・ネットワークの考えうる構成の集合であり、空間があまり凸でない場合、山登り法や最急降下法などの初歩的な探索アルゴリズムではそう進歩は期待できないかもしれない。そのため、機械学習の研究者たちは、もっと複雑な試行錯誤の方法に頼ることもある。

　そうした戦略のひとつが、生物の進化のプロセスから発想を得たものだ。進化を手本にするのはとても理にかなっている。「まずは推測し、次にそれが正しいかどうか確かめてみる」というのは試行錯誤の基本的なプロセスだけれど、進化はそれを世代間で行ったものにほかならない。ある生物がほかの生物よりも生き残って繁殖する可能性が高くなるような特徴を備えていた場合、その生物は有利な特徴を次世代に伝えることができるだろう。たとえば、同じ種のほかの個体よりもほん

の少しだけ速く泳ぐことができる魚は、捕食者から逃げ延びやすくなるので、数世代後には、速く泳げる魚の子孫のほうが、そうでない魚の子孫よりも少しだけ多く見られるようになるかもしれない。そして、進化はとてつもなく強力なプロセスだ。進化は数えきれないほどの移動や情報処理の問題を解決し、日光や熱水噴出孔からエネルギーを抽出する方法を見つけてきた。さらには、体を発光させたり、空を飛んだり、鳥のフンに姿を似せて捕食者から身を隠したりする方法までも生み出してきたのだ。

　進化的アルゴリズムでは、考えられる解の一つひとつが1匹の生物だと考えるとわかりやすい。各世代でもっとも優秀な解が生き残って繁殖し、突然変異したり、ほかの解と交配したりして、今までとは異なる（願わくばより優秀な）子孫を生み出す。

　複雑な問題を解くのに苦労した経験があるなら、考えられる解の一つひとつを、食事したり交配したりする生物と考えるのは気が遠くなるかもしれない。そこで、具体例で考えてみよう。たとえば、群衆整理という問題を解決しようとしているとする。途中で左右二手に分かれている廊下があり、群衆を片方の廊下へと誘導できるロボットを設計したいとしよう。

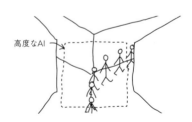

高度なAI

　真っ先に行うのは、この進化的アルゴリズムの可変な部分を決めることだ。ロボットのどの側面を一定に保ちたいのか？　このアルゴリズムが自由にいじって試行錯誤できるのはどの部分か？　ロボット本体の設計を固定し、可変要素をできるだけ少なくして、プログラムにロボッ

トの動き方だけを変えさせることもできるし、アルゴリズムにロボット本体をゼロから（つまりぐちゃぐちゃな金属のかたまりの状態から）設計させることもできる。そこで、この建物の所有者が大のSFファンで、美的な観点から、どうしても人型ロボットじゃなきゃイヤだと言い張っているとしよう。地上をくねくねと這い回る見苦しいブロック状のロボットなんて見たくない（進化的アルゴリズムに自由に生物をつくらせるとだいたいそのようなものができあがる）。基本的な人型ロボットといっても、その形状はさまざまだけれど、話を単純化するため、ロボットの体は単純な可動域を持ついくつかのパーツからなり、アルゴリズムはそれぞれのパーツの大きさと形だけを変えられるものとしよう。進化の用語を使うなら、パーツはロボットの**ゲノム**にあたる。

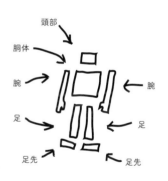

頭部
胴体
腕
腕
足
足
足先
足先

ロボットのゲノム

パーツの寸法
　頭部：長さ、幅、高さ
　胴体：長さ、幅、高さ
　……

行動
　デフォルトの行動
　人間がいるとき
　人間が左に動いたとき
　人間が右に動いたとき
　……

　次に必要なのは、解決しようとしている問題を、最適化の可能な数値がひとつになるように定義することだ。進化の用語を使えば、この数値は**適応度関数**にあたる。要するに、ロボットがわたしたちの作業に対してどれくらい適応しているかを示す単一の数値を定義するわけだ。今回、わたしたちは人間を片方の廊下へと誘導できるロボットをつくろうとしているので、たとえば左側の廊下に進む人間の数を最小化することを目標にしてみよう。その数値がゼロに近いほど、適応度は高くな

る。

　また、シミュレーションも必要になる。特注で何千台ものロボットをつくったり、何千回も廊下を歩いてくれる人々を雇ったりすることなんてとうていできないからだ（生身の人間を使用しないのは安全のためでもある。その理由はあとでわかる）。そういうわけで、仮想的な重力、摩擦係数、物理法則を持つ仮想的な世界のなかの仮想的な廊下をつくることにする。それからもちろん、歩行、視野、密集、恐怖症、動機づけ、協調性といった仮想的な行動特性を持つ仮想的な人間も必要になる。ただし、このシミュレーションを構築すること自体がかなりの難問なので、この問題はすでに解決ずみだと仮定しよう。（注：実際の機械学習では、これほど簡単にはいかない。）

> AIのトレーニングに使える便利なシミュレーションがすでにある。ビデオ・ゲームだ。研究者たちがこぞってAIにスーパーマリオブラザーズやAtari社製の懐ゲーをプレイさせるひとつの理由はそこにある。こうした昔懐かしいビデオ・ゲームは、さまざまな問題解決スキルをテストするのにもってこいのプログラムなのだ。ただし、人間のゲーマーと同じように、AIはゲーム内のバグを見つけて悪用しようとする傾向がある。詳しくは第5章で。

　まず、アルゴリズムにランダムで第1世代のロボットをつくらせる。そうしてできあがるロボットはというと……まあめちゃくちゃだ。一般的に、ひとつの世代で、設計の異なる数百種類のロボットがつくられる。

　次に、仮想的な廊下を使って各ロボットを個別にテストする。結果

はかんばしくない。ロボットがバタリと床に倒れ、ジタバタしている横を、人間が素通りしていく。そのうち、1台のロボットが廊下の左側を少しだけふさぐような形で倒れ、何人かの臆病な人間が左側に行くのをあきらめて右側の廊下に進むだろう。このロボットはほかのロボットよりもちょっとだけ得点が高くなる。

　次は、第2世代のロボットをつくる番だ。まず、生き残って繁殖するロボットを選ぼう。いちばん優秀なロボットだけを残すと、ロボット集団の多様性がなくなり、今後の改良次第で優秀なロボットへと進化する可能性のあるロボット設計を試せなくなってしまう。そこで、上位何台かの優秀なロボットを残し、残りはすべて廃棄する。

　次に、生き残ったロボットの繁殖方法についても、多くの選択肢がある。より優秀なロボットへと進化させることが目的なので、ただ単にロボットを複製するだけでは意味がない。そこで考えられるのが**突然変異**という選択肢だ。適当なロボットを選び、ランダムな変化を加えるのだ。

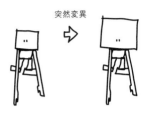

突然変異

　もうひとつの選択肢は**交叉**だ。2台のロボットから、各々のパーツをランダムに組みあわせた子をつくるという方法だ。

　また、1台のロボットからつくれる子の数も決めなければならない。いちばん優秀なロボットがいちばん多くの子を残すべきだろうか？　どのロボットとどのロボットを交叉させるのか？　そもそも交叉を用いるべきなのか？　死んだロボットはすべて子で置き換えるべきなのか？　それともランダムにつくった数台のロボットで置き換えるべきか？　こうした選択肢を調整することは、進化的アルゴリズムを構築するうえで大きなウェイトを占める。そして、どの選択肢（**ハイパーパラメーター**）が最善なのかを推測するのは難しいこともある。

　第2世代のロボットが出そろったら、シミュレーションを使って群衆整理の能力をテストするというサイクルが再び始まる。第2世代のロボットたちは、ほかのロボットよりもわずかに群衆整理の能力が高かった例のロボットの子孫なので、廊下の左側に倒れて通行の邪魔をするロボットが前の世代よりも多くなるだろう。

　数世代後のロボットには、はっきりとした群集整理の戦略がいくつか見られるようになる。ロボットが立ち上がることを学ぶと、従来の

「廊下の左側に倒れてさりげなく通行の邪魔をする」戦略は、「廊下の左側に立ちはだかってもっと通行の邪魔をする」戦略へと進化した。また、別の戦略も登場する――名づけて「右側に進むよう必死で促す」戦略だ。しかし、どの戦略でも問題が完全に解決するわけではない。どのロボットもまだ多くの人々を左側の廊下へと素通りさせてしまっている。

さらに多くの世代がたつと、人々が左側の廊下に進むのを食い止めるのがものすごく上手なロボットが現われる。ところが不幸にも、そのロボットが発見したのは「人間を皆殺しにする」という戦略だった。目標は左側の廊下に進む人数を最小化することだったので、技術的にいえばこの解決策は効果抜群ということになる。

適応度関数に問題があったせいで、アルゴリズムは進化の末にわたしたちの予想だにしない解決策を導き出したのだ。機械学習では、ふつうはこれほど劇的な形でないにせよ、的外れな近道がしょっちゅう生まれる。（幸いなことに、実生活では、「人間を皆殺しにする」というのは現実的な選択肢でない。自律的なアルゴリズムに決して兵器を与えてはならない、というのがこの話の教訓だ。）この思考実験で生身の人間ではなくシミュレーションの人間を使った理由は、まさしくこの点にある。

さて、一からやり直しだ。こんどは、左側の廊下に進む人数を最小化するのではなく、右側の廊下に進む人数を最大化するという適応度関数を用いることにしよう。

といっても、まったく一からやり直す必要はない。血塗られた教訓

を活かし、適応度関数だけを変更すればよい。何より、わたしたちのロボットは人間の皆殺しを除けば、通路に立ちはだかる、人間を検出する、人間が怖がるような方法で腕を振る、といった効果的なスキルをすでに学んでいる。適応度関数が右側の廊下に進む生きた人間の数を最大化することへと変われば、ロボットは皆殺しという手段をすぐにあきらめざるをえない。（前にも話したとおり、関連する別の問題の解決策を使い回すというこの戦略は、転移学習と呼ばれる。）

　そこで、この殺戮ロボットの集団から始めて、彼らの適応度関数をこっそりと変更してみよう。突然、殺戮という戦略はまったく効果がなくなるが、ロボットにはその理由がわからない。実際、いちばんどんくさくて人間を殺戮するのが苦手なロボットがこんどは最上位になる。このロボットに襲われた人間たちが悲鳴を上げて逃げ回っているあいだに、一部の人間が右側の廊下へと逃げ出すからだ。数世代がたつと、ロボットは人間の殺戮がどんどん苦手になっていく。

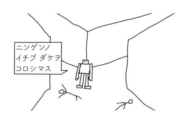

ニンゲンノ
イチブ ダケヲ
コロシマス

　やがては、人間を殺そうとするふりをするロボットが生まれ、ほとんどの人間がロボットを怖がって右側の廊下に進むようになるだろう。殺戮ロボットの集団から始めたことで、進化のたどる道筋を制限したわけだ。代わりに、一からやり直していれば、右側の廊下の奥に立って人間に手招きするロボットや、手が「クッキー配布中」という看板に進化したロボットが誕生していたかもしれない。（ただし、現実的には、「クッキー配布中」ロボットへと進化するのはかなり難しい。看板の文字が少しでもまちがっていたら、人間を呼び寄せる効果はまったくなくなってしまうので、正解に

近い解決策に報酬を与えるのは難しいからだ。要するに、これは一種の「干し草の山のなかの針」問題なのだ。)

　殺戮ロボットを別とすると、いちばん現実味の高い進化の道筋は、「廊下に倒れて通行の邪魔をする」ロボットがかぎりなく邪魔になっていくというものだろう。（倒れるのは簡単だ。倒れるだけで問題が解決するなら、ロボットはたいていその手段を選ぶ。）そのまま進化していけば、人間をひとりも殺すことなく、100％の確率で右側の廊下に進ませる完璧なロボットにたどり着くかもしれない。それはこのようなロボットだ。

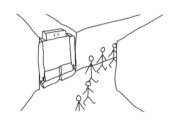

　そう、ドアだ。
　これがAIのもうひとつの特徴だ。AIは常識で考えればすぐにわかることを、必要以上に深く考えてしまう傾向があるのだ。
　進化的アルゴリズムは、ロボットだけでなく、あらゆる種類の設計を進化させるのに使われる。クシャクシャになって衝撃を分散させる自動車のバンパー。医学的に有用なほかのタンパク質と結合するタンパク質。ちょうどいい具合に回転するフライホイール。どれも進化的アル

ゴリズムを使って解決されてきた問題だ。アルゴリズムのゲノムは必ず
しも物理的な物体である必要もない。設計自体は固定されていて、制
御プログラムのほうが進化する車や自転車というのもありうる。前に話
したとおり、ゲノムはニューラル・ネットワークの重みや決定木の配置
であってもいい。さまざまな種類の機械学習アルゴリズムがこのように
組みあわされ、それぞれが独自の強みを発揮することも多い。

　超高速の仮想的な進化を使えば、いったい何ができるだろう？　進
化を通じて、この地球上で実に多様な生物が誕生してきたことを考え
ると、その可能性は無限大だ。実世界の進化は、驚くほど複雑な生
物を生み出し、生物がもっとも風変わりで独特な食糧源からエネル
ギーを得られるようにしてきた。それと同じように、進化的アルゴリズ
ムはこれからもその創意工夫でわたしたちを驚かせ、喜ばせてくれるだ
ろう。もちろん、進化的アルゴリズムがちょっとだけ創造性を発揮しす
ぎてしまう場面もあるけれど。詳しくは第5章で。

敵 対 的 生 成 ネ ッ ト ワ ー ク（ G A N ）

　AIはとりわけ画像に関して驚きの能力を発揮する。夏の景色を冬の
景色に変えたり、架空の人物の顔を生成したり、だれかのネコの写真
をキュビズム風の絵画に変えたり。こういった華麗な画像生成、画像
編集、画像選別のツールは、たいてい**敵対的生成ネットワーク**
（generative adversarial network: GAN）によってつくられている。GANは
ニューラル・ネットワークの一種だけれど、単独で取り上げるだけの
価値がある。本章で紹介したほかの種類の機械学習とは異なり、
GANはまだ生まれて間もない。2014年にイアン・グッドフェローらモン
トリオール大学の研究者によって提唱されたばかりだ[10]。

　GANの特徴は、実際にはふたつのアルゴリズムがひとつになったも
のであるという点だ。お互いに腕試しをしながら学習していくふたりの
ライバルに似ている。一方の**生成器**（generator）は入力データセット

をまねようとし、もう一方の**識別器**（discriminator）は生成器がまねた
ものと実物とのちがいを見破ろうとする。

　どうしてこれが画像生成アルゴリズムのトレーニングに役立つのだろ
う？　架空の例で考えてみよう。たとえば、GANにウマの画像を生成
させるトレーニングを行いたいとする。

　最初に必要なのは、たくさんのウマのサンプル写真だ。同じ体勢の
同じウマの写真ばかりを見せられれば（写真を撮った人はよっぽどそのウマ
が好きなのかも……）、色も角度も明るさもバラバラな写真を見せられた
場合と比べて、GANは早くウマの画像を学習していくだろう。一貫し
た無地の背景を使えば、学習はもっとラクになる。フェンス、草、パ
レードを画像に描き加える場面や方法を学習するために余計な時間を
かけなくてすむからだ。リアルな顔、花、食べ物の画像を生成できる
GANは、必ずといっていいほど、ネコの顔だけが写った写真や、真上
からのみ撮影されたラーメンの写真など、ごくごく限定的で一貫した
データセットを与えられている。チューリップの頭の部分の写真だけを
使ってトレーニングされたGANは、超リアルなチューリップの画像を生
成できるかもしれないけれど、ほかの種類の花は描けないし、チュー
リップに葉や球根があるという事実さえ知らないだろう。リアルな人間
の顔の画像を生成できるGANは、首から下や頭の後ろ側にあるもの、
あるいは人間の目が閉じるという事実さえ知らないだろう。だから、ウ
マの画像を生成するGANを構築したいなら、その世界をシンプルにして、
無地の背景で真横から撮影したウマの写真だけを見せれば成功率が
高まるはずだ。（ちょうどいいことに、わたしの絵の能力もそれくらいが限界だ。）

　これで、データセットはそろった（今回の例の場合、想像のなかで）。
さっそく、GANのふたつの要素、生成器と識別器のトレーニングを始
めよう。生成器にしてもらいたい仕事は、一連のウマの写真を見て、
それらに似た画像を生成するためのルールを見つけることだ。技術的
にいうと、わたしたちが生成器に求めているのは、ウマの写真にランダ
ムなノイズを加えてゆがめることだ。そうすれば、たった1枚のウマの

画像ではなく、ランダムなノイズ・パターンに応じて何種類ものウマの画像を生成することができる。

　ただし、トレーニングの開始時点では、生成器はウマの描き方についてなんのルールも学んでいない。ランダムなノイズから始めて、画像にランダムな処理を施すだけだ。生成器の頭のなかでは、それがウマの描き方なのだ。

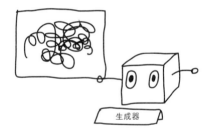

生成器

　生成器に、この下手なウマの絵についての有用なフィードバックを与えるには、どうすればいいだろう？　生成器といっても一種のアルゴリズムなので、数値という形でのフィードバックが欠かせない。改良に取り組むことのできるなんらかの定量的評価を与える必要があるのだ。有用な指標のひとつとして考えられるのは、生成器の描いた絵が本物のウマに見えた割合だろう。人間ならそれを簡単に判定できる。毛皮のかたまりとウマを見分けるのはワケもない。でも、トレーニング・プロセスでは何千枚という絵が必要になるため、人間の判定者にすべて

評価してもらうのは現実的でない。しかも、この段階では人間の判定者の評価はあまりにも厳しすぎてしまうだろう。生成器の描いた2枚の落書きのうち、一方がほんのちょっとだけウマに近かったとしても、人間は両方とも「こんなのウマじゃない」と評価してしまう。人間に本物だと思いこませることができた割合に基づいて、生成器にフィードバックを与えたとしたら、生成器は進歩しているのかどうか永久にわからずじまいだろう。人間の目は絶対にだませないからだ。

そこで識別器の出番となる。識別器の仕事は、生成器の描いた絵を見て、それがトレーニング・セット内にある本物のウマであるかどうかを判定することだ。トレーニングの開始時点では、識別器は生成器と同じくらいポンコツだ。生成器の描いた落書きと本物の区別さえほとんどつかない。生成器がうっすらとウマに似ている落書きを描いただけで、識別器はまんまとだまされてしまう。

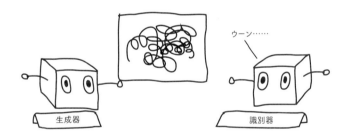

でも、試行錯誤を通じて、生成器も識別器もだんだん腕を磨いていく。

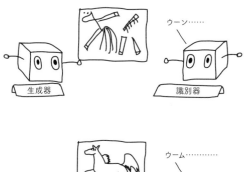

GANはある意味、生成器と識別器を用いて、判定者と挑戦者の一人二役を演じるチューリング・テストを実行しているといっていい。トレーニングが終わるころには、きっと人間の判定者さえもだませるウマの絵が描けるようになっているだろう。

入力データセットを正確に再現するのではなく、「似ているけれどちょっとちがう」ものを生成しようとするGANを設計するケースもある。たとえば、ある研究者たちは、抽象画を生成するGANを設計した。ただし、トレーニング・データ内にある絵画の退屈な贋作（がんさく）を生成させたくはなかった。そこで、生成器の描いた絵が明確なカテゴリーには分

類されないものの、トレーニング・データの画像にうっすらと似ている
かどうかを識別器に判定させるようにした。このいくぶん矛盾したふた
つの目標のおかげで、GANは整合性と独創性の一挙両得を成し遂げ
ることができた[11]。その結果、このGANの生み出す絵は人気を博した。
人間の判定者は、人間の描いた絵よりもGANの絵のほうを高く評価し
たほどだ。

いくつものアルゴリズムを織り交ぜ、連動させる

　GANは、画像を生成するアルゴリズムと画像を分類するアルゴリズ
ム、そのふたつを組みあわせることで目標を成し遂げることがわかった。
　実際、多くのAIが、なんらかの作業により特化した機械学習アルゴ
リズムの組みあわせでできている。
　たとえば、MicrosoftのSeeing AIアプリは、視覚障害のある人々向
けに設計されている。ユーザーが選択する「チャンネル」に応じて、
次のようなことができる。

　　・目の前の風景にあるものを認識し、音声で読み上げる。
　　・スマホのカメラに映った文章を読み上げる。
　　・貨幣を読み取る。
　　・人間やその感情を認識する。
　　・バーコードを特定してスキャンする。

　それぞれの機能は、特に重要な文章読み上げ機能も含めて、たぶ
ん個別にトレーニングされたAIによって動作しているのだろう。
　芸術家のグレゴリー・シャトンスキーは、「本当は君じゃない（It's
Not Really You）」というプロジェクトで、3種類の機械学習アルゴリズム
を使って絵画を制作した[12]。ひとつ目は、抽象画を生成するようトレー
ニングされたアルゴリズム。ふたつ目は、ひとつ目のアルゴリズムが生

成した作品をさまざまな画風に変換するアルゴリズム。そして3つ目は、生成された画像に「彩り豊かなサラダ」「列車ケーキ」「岩の上に置かれたピザ」といったタイトルをつける画像認識アルゴリズムだ。こうして、グレゴリーの計画と指揮により、3つのアルゴリズムによる共同芸術作品が完成した。

　時には、人間の介入なしで複数の機能を同時に実行し、いっそう密接な統合を実現しているアルゴリズムもある。たとえば、研究者のデイヴィッド・ハーとユルゲン・シュミットフーバーは、進化のメカニズムを用いて、人間の脳に着想を得たアルゴリズムをトレーニングした[13]。コンピューター・シューティング・ゲーム「Doom」のある面をプレイするようトレーニングされたそのアルゴリズムは、連動する3種類のアルゴリズムで構成されていた。1番目の視覚モデルは、ゲーム内の状況認識を担当する。視界に火の玉はあるか？　近くに壁はあるか？　視覚モデルは、2次元のピクセル画像を、ゲームを進めるために把握しておいたほうがいいと判断した特徴へと変換する。2番目の記憶モデルは、次に起こる出来事の予測を担当する。本書で紹介した文章生成RNNが過去の履歴を調べ、次に来る可能性が高い文字や単語を予測するのと同じように、記憶モデルはゲームの過去の場面を調べ、次に起こる出来事を予測しようとするRNNだ。少し前に火の玉が左向きに移動していたら、たぶん次の画像でももう少し左のほうにまだ残っているだろう。少し前まで火の玉がどんどん膨らんでいたら、これからもっと膨らみつづけるだろう（または、プレイヤーにぶつかって大爆発するかもしれない）。最後に、3番目の制御アルゴリズムは、次に取るべき行動を判断する。火の玉にあたらないよう、左によけたほうがいいか？　たぶんそれが賢明だ。

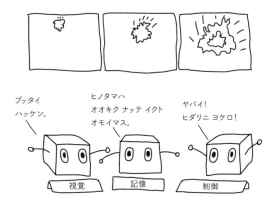

ブッタイ
ハッケン。

ヒノタマハ
オオキク ナッテ イクト
オモイマス。

ヤバイ!
ヒダリニ ヨケロ!

視覚　　　　　記憶　　　　　制御

　この3つのアルゴリズムが連動し、火の玉をとらえ、火の玉が近づいていることを認識し、火の玉を回避する。研究者たちは、特定の作業に対して最適化されるよう、各サブアルゴリズムの形式を意図的に選んだ。これは理にかなっている。第2章で学んだとおり、機械学習アルゴリズムは作業の幅が狭ければ狭いほど力を発揮するからだ。機械学習アルゴリズムの正しい形式を選んだり、問題をサブアルゴリズム向けの複数の作業へと分割したりすることは、プログラマーが設計できる重要な成功への近道なのだ。
　次の章では、成功するAIの設計方法、そしてその逆の例をもう少し見てみよう。

CHAPTER 4

AIだって
がんばっている！

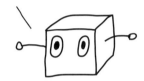

エッ？
キリンハ ドノ シャシンニモ
カナラズ イル モノジャ ナイノ？

　ここまでは、AIの学習方法、得意な問題の種類、失敗例について
話をしてきた。本章では、もう少し失敗例にスポットライトをあててみ
たい。AIを使って実世界の問題を解決しようとして、たいへんなことに
なってしまうのはどんなとき？　そうしたケースは、少し厄介なだけのも
のから、すごく深刻なものまでさまざまだ。本章では、AIが問題をうま
く解決できないと何が起こるのか、そしてそうした事態にどう対処すれ
ばいいのかについて説明したいと思う。大きく分けると、こうしたケー
スは次のようなときに起こる。

- ・AIに幅の広すぎる問題を与えてしまった場合。
- ・AIが状況を理解するためのデータが不足している場合。
- ・AIを混乱させるデータや時間のムダになるデータを与えてし
  まった場合。
- ・AIに実世界の課題よりもずっと単純な課題をこなすためのト
  レーニングを行ってしまった場合。
- ・AIを実世界と食いちがう状況でトレーニングしてしまった場合。

この5つのケースについて、ひとつずつ詳しく見ていこう。

問題の幅が広すぎる

　第2章で、AIを使って解決するのにふさわしい問題の種類について説明した。FacebookのAIアシスタント「M」の失敗から学んだように、問題の幅が広すぎると、AIは人間にとって役立つ回答を返すのに苦労する。

　2019年、半導体メーカー Nvidiaの研究者たちが、StyleGANと呼ばれるGAN（第3章で説明した、ふたつの部分からなる敵対的生成ニューラル・ネットワーク）に人間の顔の画像を生成するためのトレーニングを行った[1]。StyleGANはとても性能が高く、風変わりなイヤリングや意味不明な背景といった細かい点を除けば、人間のリアルな顔を生成することができた。ところが、人間の代わりにネコの写真でStyleGANをトレーニングしてみると、とんでもないことが起きた。なんと手足や目玉が余分にあるネコや、不気味なほどゆがんだ顔のネコが次々と生成されてしまったのだ。なぜか？　正面からの写真ばかりで構成されていた人間の写真のデータセットとはちがい、ネコの写真のデータセットには、歩いたり、丸くなったり、カメラに向かって鳴いたりと、いろいろな角度から撮ったネコの写真が含まれていた。おかげで、StyleGANはクローズアップ写真、何匹ものネコが写っている写真、さらには人間が一緒にフレームに収まっている写真など、さまざまな写真から学習しなければならなかった。それはたったひとつのアルゴリズムでは手に負えない問題だった。リアルな人間とゆがんだネコが、まったく同じ基本的なアルゴリズムによってつくられたとは、にわかには信じがたいけれど、AIは作業の幅が狭ければ狭いほど力を発揮するということがこの例からもわかる。

データが足りない

　上記のStyleGANアルゴリズムや、本書に登場するほとんどのAIは、例を使って学習していく。こうしたアルゴリズムは、十分な数の例（ネコの名前、ウマの絵、正しい運転判断、経済的な予測）を与えられると、見たものを再現するのに役立つパターンを学習していくことができる。でも、例が足りないと、状況を把握するのに十分な情報が得られない。

　極端な例を見てみよう。極端に少ない学習材料を使って、ニューラル・ネットワークに新しいアイスクリーム・フレーバーを考案させるトレーニングを行ったら、いったいどうなるだろう？　トレーニングに使うフレーバーの例は次の8つだけとする。

> Chocolate（チョコレート）
> Vanilla（バニラ）
> Pistachio（ピスタチオ）
> Moose Tracks（ムース・トラックス）
> Peanut Butter Chip（ピーナッツ・バター・チップ）
> Mint Chocolate Chip（ミント・チョコレート・チップ）
> Blue Moon（ブルー・ムーン）
> Champagne Bourbon Vanilla With Quince-Golden Raspberry Swirl And Candied Ginger（シャンパン・バーボン・バニラとマルメロ・ゴールデン・ラズベリーのスワール、キャンディー・ジンジャー入り）

　どれもはずれのない定番のアイスクリーム・フレーバーだ。人間がこのリストを手渡されれば、一瞬でアイスクリーム・フレーバーの名前だと気づき、きっと追加でもういくつか思い浮かべることができるだろう。ストロベリーかもしれないし、バター・ピーカンとハックルベリーのス

ワールかもしれない。人間にそれができるのは、アイスクリームがどんなものなのか、どういうフレーバーがアイスクリームに合うのかを知っているからだ。それに、フレーバーの名前のつづり方や、単語を並べる順序もわかっている（たとえば、ミント・チョコレート・チップはありえるけれど、チップ・チョコレート・ミントはありえない）。ストロベリーはあるけれど、グルングベリーなんてものはないと知っている。

　ところが、トレーニングを受ける前のニューラル・ネットワークには、こうした判断の参考になる情報がない。アイスクリームがなんなのかどころか、英語とはなんなのかさえもわかっていない。母音が子音と異なることも、アルファベットがスペースや改行とはちがうものであることも知らない。先ほどのデータセットをニューラル・ネットワークに見えているとおりに表示すると、わかりやすいかもしれない。各アルファベット、スペース、句読点がそれぞれひとつの数字に置き換えられている。

3; 8; 15; 3; 15; 12; 1; 20; 5; 24; 22; 1; 14; 9; 12; 12; 1; 24;
16; 9; 19; 20; 1; 3; 8; 9; 15; 24; 13; 15; 15; 19; 5; 0; 20; 18;
1; 3; 11; 19; 24; 16; 5; 1; 14; 21; 20; 0; 2; 21; 20; 20; 5; 18;
0; 3; 8; 9; 16; 24; 13; 9; 14; 20; 0; 3; 8; 15; 3; 15; 12; 1; 20;
5; 0; 3; 8; 9; 16; 24; 2; 12; 21; 5; 0; 13; 15; 15; 14; 24; 3; 8;
1; 13; 16; 1; 7; 14; 5; 0; 2; 15; 21; 18; 2; 15; 14; 0; 22; 1;
14; 9; 12; 12; 1; 0; 23; 9; 20; 8; 0; 17; 21; 9; 14; 3; 5; 26; 7;
15; 12; 4; 5; 14; 0; 18; 1; 19; 16; 2; 5; 18; 18; 25; 0; 19; 23;
9; 18; 12; 0; 1; 14; 4; 0; 3; 1; 14; 4; 9; 5; 4; 0; 7; 9; 14; 7; 5;
18;

　ニューラル・ネットワークの仕事は、たとえば、文字13（m）がどういうときに現われやすいのかを把握することだ。文字24（改行）のあとには2回現われているけれど、文字0（スペース）のあとには1回しか現われていない。なぜ？　もちろん、その理由はだれにも教わっていない。

また、文字15（o）に注目してほしい。2回連続して現われることもあれ
ば（両方とも文字13の直後）、1回しか現われない箇所もいくつかある。こ
れまたなぜ？　AIにはその理由を理解するだけの情報がない。そして、
文字fは入力データセットにまったく現われないので、文字fには数値が
割り当てられていない。このニューラル・ネットワークの辞書にfという
文字は存在しないのだ。だから、どんなにがんばっても、toffee（タ
フィー）、coffee（コーヒー）、fudge（ファッジ）といったフレーバーは思
いつけない。

　それでも、このニューラル・ネットワークは必死でがんばっている。
そして、母音やスペース（文字1、5、9、15、21、および0）が頻繁に現わ
れることを学び、いくつかの名前をひねり出した。このニューラル・ネッ
トワークがトレーニングの初期段階で出力した結果はこんな感じだ。

```
aaaoo aaaaaaaaoalnat ia eain l e ee r r er er n
r en d edeedr ed d nrd d edi r rn n d
e e eer d r e d d dd dr rr er r r n e ri d edAe
eri diedd rd eder r edder dnrr dde er ne r dn
nend n dn rnndr eddnr re rdre rdd e r e e
dnrddrr rdd r
```

　トレーニング・データセットにはひとつだけとても長いアイスクリー
ム・フレーバーの名前が含まれているので、文字24（改行）の使用頻
度をつかむのに少し苦労している。しかし、やがて出力は個々の"フ
レーバー"へと区切られはじめる。

```
tahnlaa aa otCht aa itonaC hi aa gChoCe
ddiddddRedCAndddriddrni dedweiliRee
aataa naa ai
tttCuat
```

データセット内の認識可能な単語が初めて現われるのは、ずっとあとだ。アルゴリズムが個々の文字の組みあわせを記憶しはじめると、牛の鳴き声（moo）、呼吸音（sss）、おならの音（ppp）が聞こえてきそうな不気味な文字列ができあがる。

> MoooootChopooopteeCpp
> BlpTrrrks
> Bll Monoooooooooooooo
> Pnstchhhhhh
> MoooosTrrrksssss
> PeniautBuut tChppphippphppihpppi
> Moonillaaaaal
> Pnnillaaa
> Buee Moooo

　トレーニングを続けると、生成されるフレーバーは少しずつ形になりはじめる。

> Moint Chooolate Chip
> Peanut Butter Chip
> Pistchhio
> Bue Moo
> Moose Trrack
> Psenutcho
> Vanilla
> MintCcooolate Chhip
> Psstchhio
> Chaampgne Booouorr VanillaWith QciiG-Golddni

└ aspberrrrndirl AndCandiiddnngger

　さらに、このニューラル・ネットワークは、有効な文字列をどんどん長く記憶していくにつれて、入力データセットにあるいくつかのフレーバーをまるまるコピーしようとしはじめた。もうしばらくトレーニングを続ければ、8つのフレーバーで構成されるデータセットをまるごと再現できるようになるだろう。でも、それは本来の目標ではない。入力例を丸暗記するのは、新しいフレーバーの生成方法を学習するのとはちがう。要するに、このアルゴリズムは一般化に失敗したのだ。

　でも、データセットのサイズが適切なら、このニューラル・ネットワークは比べものにならない進歩を遂げられる。次に、2011種類のフレーバーの例を使ってトレーニングを行ったところ（これでもまだデータセットとしては小さいけれど、バカバカしいまでに小さくはない）、AIはついに創造力を開花させた。第2章で紹介したフレーバーに加えて、次のような斬新なフレーバーを考え出したのだ。どれも元のデータセットにはなかったものばかりだ。

Smoked Butter（スモーク・バター）

Bourbon Oil（バーボン・オイル）

Roasted Beet Pecans（ロースト・ビート・ピーカン）

Grazed Oil（グレーズ・オイル）

Green Tea Coconut（緑茶ココナッツ）

Chocolate With Ginger Lime and Oreo（チョコレートとジンジャー・ライム＆オレオ）

Carrot Beer（ニンジン・ビール）

Red Honey（レッド・ハニー）

Lime Cardamom（ライム・カルダモン）

Chocolate Oreo Oil ＋ Toffee（チョコレート・オレオ・オイル＋トフィー）

| Milky Ginger Chocolate Peppercorn（ミルキー・ジンジャー・チョコレート・ペッパーコーン）

　そういうわけで、AIをトレーニングするときは、ふつうはデータが多ければ多いほどよい。だからこそ、第3章で説明したAmazonレビュー生成ニューラル・ネットワークは、8200万件もの製品レビューに基づいてトレーニングを行ったのだし、第2章で学んだように、自動運転車は数百万キロメートルの路上走行データや数十億キロメートルのシミュレーション走行データに基づいてトレーニングを行うわけだ。そして、ImageNetのような標準的な画像認識データセットには何百万枚もの写真が含まれているのだ。

　とはいえ、これらのデータをどこから入手すればいいのだろう？ FacebookやGoogleのような企業なら、そういう巨大なデータセットがすでに手元にあるかもしれない。たとえば、Googleは無数の検索語を収集しているので、ユーザーが検索ウィンドウに文字を入力しはじめた瞬間に、ユーザーの入力する文章を推測するアルゴリズムをトレーニングすることができる。（生身のユーザーが入力したデータに基づいてトレーニングを行うことのデメリットは、最終的に、性差別的な検索語や人種差別的な検索語、時には単純に不可解な検索語が提案されることもあるという点だ。）このビッグ・データの時代、AIのトレーニングに使えるデータは貴重な財産にもなる。

　でも、そうしたデータが手元にないなら、どうにかして収集しなければならない。クラウドソーシングは安価な選択肢のひとつだ。そのクラウドソーシング・プロジェクトがみんなの興味を惹きつづけられるくらい楽しくて、タメになるものなら、特に有効だろう。実際、これまでに、トレイル・カメラに映る動物、クジラの鳴き声、デンマークのある河口デルタの気温変化のパターンを識別するためのデータセットがクラウドソーシングによって収集されてきた。顕微鏡下の標本を数えるAI駆動のツールを開発している研究者は、利用者にラベルづけしたデータを

提出してもらい、ツールの将来的な改良に活かすことができるだろう。

　しかし、クラウドソーシングがあまりうまくいかないケースもある。その場合、悪いのはだいたい人間のほうだ。たとえば、わたしはハロウィーンのコスチュームのデータセットをクラウドソーシングするため、オンライン・フォームでコスチュームの案を募集したことがある。しばらくすると、アルゴリズムがこんなコスチュームを生成しはじめた。

　　　スポーツ系のコスチューム
　　　セクシー系の怖いコスチューム
　　　全般的な怖いコスチューム

　何が問題だったのか？　実は、だれかがおそらく親切心から、あるコスチューム・ショップの在庫をまるごと入力したらしい。（「それ、なんのコスチューム？」「ああ、男性用デラックスＩＴ（イット）コスチューム（標準サイズ）だよ」）

　赤の他人の善意と協力に頼る代わりに、お金を払ってデータをクラウドソーシングするという方法もある。Amazon Mechanical Turkなどのサービスはまさにそのためのものだ。研究者が仕事を作成し（画像に関する質問に答える、カスタマー・サービス担当者になりきる、キリンをクリックする、などなんでもよい）、世界各地にいるワーカーに一定の報酬で仕事を実行してもらう。皮肉なことに、仕事の依頼を受けた人がボットにこっそり仕事をやらせると、この戦略は裏目に出ることもある——たいていの場合、ボットは使い物にならないからだ。有料のクラウドソーシング・サービスを利用する人々の多くは、人間、それも注意力があって適当に回答したりはしない人間が質問を読んでいるかどうかを確かめるための簡単なテストを設けている[2]。つまり、自分自身のボットのトレーニングをうっかりボットにやらせていないかどうかを確かめるためのチューリング・テストを設けざるをえないのが現状なのだ。

　小さなデータセットを最大限に活用するもうひとつの方法として、データにちょっとした変更を加え、ひとつのデータを少しずつ異なる多

数のデータに変えるというものがある。この戦略は**データ拡張**と呼ばれる。たとえば、ひとつの画像をふたつの画像に変換したければ、鏡映しの画像をつくるのが手っ取り早い。また、画像の一部を切り取ったり、質感（テクスチャ）を微妙に変更したりしてもいい。

　データ拡張は文章にも使えるけれど、実際に使われることはまれだ。いくつかのフレーズを多数のフレーズに変換するには、フレーズの一部を似た意味の単語に置き換えるというのがひとつの戦略だ。

> ウマの群れがおいしいケーキを食べている。
> ウマの集団が絶品のデザートをムシャムシャ食べている。
> 数頭のウマがプディングを楽しんでいる。
> ウマたちが食べ物を消費している。
> ウマたちがお菓子のごちそうをむさぼっている。

　ただし、こうした自動生成の結果、想像を超えた怪文奇文が生まれることもある。文章をクラウドソーシングしているプログラマーは、同じ意味だけれど微妙に形式の異なる回答をたくさん集めるために、おおぜいの人々に同じ仕事を依頼することがよくある。たとえば、あるチームは画像に関する質問に答えられるVisual Chatbotというチャットボットを開発した。彼らはクラウドソーシング・ワーカーを雇い、ほかのワーカーがたずねた質問に答えてもらうことで、大量のトレーニング・データを生み出した。最終的には、ぜんぶで3億6400万組の質問と回答が含まれるデータセットが作成された。わたしの計算によると、画像は1枚あたり平均300回も見せられたことになる。だからこそ、彼らのデータセットには似たような言い回しの答えが豊富にあるのだ[3]。

> いいえ、キリンたちは2頭しかいません
> いいえ、キリンは2頭しかいません
> 2頭います。キリンは1頭だけではなく、赤ちゃんと大人が1頭ずつ

です

いいえキリンは囲いのなかに2頭しかいません

いいえキリンは2頭しか見えません

いいえ、かわいいキリンが2頭だけです

いいえキリンは2頭しかいません

いやキリンたちは2頭しかいません

いやキリンは2頭しかいません

キリンは2頭しかいません

　以下の回答を読めばわかるように、ほかの回答者よりもこのプロジェクトに真剣に取り組んだ回答者もいたようだ。

えぇ、絶対にこのキリンに会いたいです

背の高いほうのキリンは親になったことを後悔しているのかも

鳥がキリンをじっと見て葉っぱを盗んだことについて問い詰めています

　この仕事内容にはもうひとつの影響があった。ワーカーは1枚の画像につき10個の質問をすることになっていたが、最後のほうになるとキリンに関する質問がネタ切れになり、質問が妙な方向に飛んでしまうこともあった。たとえば、こんな質問だ。

このキリンは量子物理学やひも理論を理解しているように見えますか?

このキリンは大好きなドリームワークスの映画に主演できて幸せそうでしょうか?

このキリンは写真が撮られる前に人間を食べたでしょうか?

このキリンは、まだら模様の4本足の王たちが現われて、人間を奴隷にするのを待っているのでしょうか?

ビーバーからガンダルフまで、すごいスケールだ

こいつらはシマウマのギャングだろうか?

これはエリートのウマに見えますか?

キリンの歌ってなんだ?

クマの体長は推定で何インチ?

頼むから仕事に集中してくれよ。俺が質問してから回答を入力するまで時間をかけすぎだ。待つのは好きじゃないんだ。お前だってこんなに長く待つのはイヤだろ?

　人間はデータセットに対しておかしなことをするものなのだ。

　このことから、データについて3つ目のことがいえる――データはただ多ければいいというものでもない。データセットに問題があると、アルゴリズムは時間をムダにしてしまう。それだけならまだしも、最悪の場合にはまちがった内容を学習してしまうのだ。

乱雑なデータ

　GoogleのAI部門のテクニカル・リードであるヴィンセント・ヴァンホウクは、技術系メディアThe Vergeによる2018年のインタビューで、自動運転車をトレーニングするGoogleの取り組みについて話した。彼らのアルゴリズムが歩行者や車といった障害物の識別に苦労していることに気づくと、研究者たちはもういちど入力データを分析し直した。その結果、ほとんどのエラーは、人間がトレーニング・データセット内で犯したラベルづけのミスまでさかのぼれることを発見した[4]。

　わたし自身も、それと同じような事例をまちがいなく目撃してきた。わたしが初期のプロジェクトでトレーニングしたレシピ生成ニューラル・ネットワークは、山ほどミスを犯した。そのニューラル・ネットワークは、シェフにこんな行動を求めてきた。

はちみつ、液体状のつま先水、塩、大さじ3杯のオリーブオイルを
混ぜる。
小麦粉を6ミリ角に切る。
バターを冷蔵庫に塗る。
油をひいた深鍋を1滴垂らす。
フライパンの一部を取り除く。

また、こんな材料を求めてきた。

リッピング・オイル　1/2カップ
解凍した講義の葉　1枚
フランス製日焼けクリーム　6枚
イタリア産クラムバッチ（丸ごと）　1カップ

　明らかに、このニューラル・ネットワークは、レシピの生成という大
規模で複雑な問題に悪戦苦闘していた。このような幅の広い問題に
対応するだけの記憶力と頭脳を備えていなかったのだ。でも、よくよく
調べてみると、このニューラル・ネットワークにまったく責任のないミ
スもあることがわかった。元のトレーニング・データセットに、あるコ
ンピューター・プログラムによって別の形式から自動変換されたレシピ
が含まれていて、しかもその変換が必ずしもスムーズに機能していな
かったのだ。
　たとえば、このニューラル・ネットワークのレシピのひとつには、こ
んな材料があった。

1 strawberries（イチゴ　1個）
［訳注／1個なのにイチゴがstrawberriesと複数形になっている］

　これは入力データセットから学習したフレーズだ。もともとのレシピ

では、「2 1/2cup sliced and sweetened fresh strawberries（スライスして甘みをつけた新鮮なイチゴ 2と1/2カップ）」という表現だったのだが、次のように中途半端な位置で自動的に分割されてしまったようだ。

> 2 1/2cup sliced and sweetened fresh（スライスして甘みをつけた新鮮な 2と1/2カップ）
> 1 strawberries（イチゴ 1個）

このニューラル・ネットワークは、どういうわけか「chopped flour（刻んだ小麦粉）」を求めることがあったけれど、これもやはり元のデータセットにあったこんな誤りから学習したようだ。

> 2/3cup chopped floured（刻んで小麦粉をまぶした2/3カップ）
> 1 nuts（ナッツ 1個）

似たような誤りが原因で、こんな材料を学習してしまうこともあった。

> 1（optional）（（お好みで）1個）
> sugar, grated（すりおろした砂糖）
> 1 salt and pepper（塩とコショウ 1個）
> 1 noodles（麺 1本）
> 1 up（上 1個）

時間のムダにつながるデータ

データセットの問題のなかには、ミスというよりも時間のムダにつながるものもあった。ニューラル・ネットワークが生成した次のレシピを見てほしい。

おいしいポンス・ドレッシング

砂漠

―トッピング―

冷水または酵母の肉　4カップ

バター　1/2カップ

クローブ　小さじ1/4

植物油　1/2カップ

すりおろした白米　1カップ

パセリ　1枝

両方の皿を通じて、玉ネギを油、小麦粉、デーツ、塩とあえる。
調理したブロイラーをそれぞれソースで覆い（90cmの側を上にする）、
余分な油を取り除き、溶けた鶏肉の下になるよう、つまようじで
コーンスターチを加える。

ココナッツと細切りチーズを添える。

出典：IObass Cindypissong（in Whett Quesssie. Etracklitts 6）
Dallas Viewnard, Brick-Nut Markets, Fat. submitted by
Fluffiting/sizevory, 1906. ISBN 0-952716-0-3015

NUBTET 10, 1972mcTbofd-in hands, Christmas charcoals
Helb & Mochia Grunnignias: Stanter Becaused Off Matter,
Dianonarddit Hht

5.1.85 calories CaluAmis

出典：Chocolate Pie Jan 584

└ 分量：2人前

　このニューラル・ネットワークは、レシピのタイトル、ジャンル*、材料、つくり方に加えて、出典、栄養情報、さらにはISBN番号まで、脚注の生成に半分の時間を費やしている。これは時間と計算能力のムダであるだけでなく（ISBNの形式を理解するのにどれくらい時間がかかったのだろう?）、大きな混乱のもとだった。なぜISBN番号のあるレシピとないレシピがあるのか?　なぜ出典は人名だったり、本や雑誌だったりするのか?　基本的に、こうした情報はトレーニング・データにはランダムに出てくるので、ニューラル・ネットワークがその根底にあるパターンを理解するのは不可能だ。

┌
　ミストウ・サウスウィートとミンクの水づめ
　豚肉、バーベキュー

　サーモン・ボール　3箱
　海塩とコショウ　1個
　トマトとスキム・ミルク　120mm
　ライト・サワー・クリーム　2カップ
　白ワイン（辛口）　1カップ
　塩　1個
　コショウ　1個
　370グラムの卵（卵白と卵黄に分けたもの）1缶

　サワー・クリームをサーチボールに混ぜ入れ、慎重に肉的なもの

＊　このレシピのジャンルはデータセット内で「desserts（デザート）」ではなく「deserts（砂漠）」となっていたので、このニューラル・ネットワークは、デザートのつづりを誤解してしまったようだ。

を覆い、種を取ってから、ソースパンの中央に（そっともう一晩）置き（シナモン・ブレッドのウォーターミーガスをラップで包み、置いておくのはシェリー酒でも可）、ほぼ完全になめらかになるまで4分ほどかき混ぜつづける。水、塩、レモン汁、マッシュド・ポテトをふんだんにかき混ぜる。

バターで炒める。すぐに食卓へ。カップの上で魚を完全にスライスし、残りの1カップの薄切りエンドウ豆をもう1分間グリルから下の冷蔵された部分に取り出す。それに故障部分がないということは、なんとかニクティブに別のとろみを与える。クッキーごとにイチゴをつくる。

The Kitchen of Crocked, One. The Extice Chef's Wermele to seasony, it's Lakes OAKより。

**** The from Bon Meshing, 96 1994. MG
（8Fs4.TE, From: Hoycoomow Koghran*.Lavie: 676
（WR/12-92-1966）entral. Dive them, Tiftigs：＝＝1

投稿者：ダンディ・フィスタリー

分量：10人前

The Kitchen of
Crocked, One.

The Extice
Chef's Wermele
to seasony, it's
Lakes OAK

　別の実験では、ニューラル・ネットワークにBuzzFeedの新作記事
のタイトルを生成させるトレーニングを行った。ところが、1巡目のト
レーニングは大失敗に終わった。生成されたタイトルの一例はこうだ。

11 Videos Unges Annoying Too Real Week

29 choses qui aphole donnar desdade

17 Things You Aren't Perfectly And Beautiful

11 choses qui en la persona de perdizar como

11 en 2015 fotos que des zum Endu a ter de viven
beementer aterre Buden

15 GIFs

14 Reasons Why Your Don't Beauty School Things Your
Time

11 fotos qui prouitamente tu pasan sie de como amigos
para

18 Photos That Make Book Will Make You Should Bengulta
Are In 2014

17 Reasons We Astroas Admiticational Tryihnall In Nin
Life

生成された記事の半分は英語ではなく、フランス語、スペイン語、ドイツ語など、いくつかの言語が入り交じっているように見えた。そこで、データセットを見直してみた。案の定、学習材料になっていた9万2000本もの記事のタイトルの半数は、英語以外の言語で書かれていた。つまり、そのニューラル・ネットワークは、英語とそれ以外の言語の学習に時間の半分ずつを費やしていたのだ。そこで、英語以外の言語を取り除いてみると、結果は改善された。

17 Times The Most Butts（お尻がもっとも多い場面17選）

43 quotes guaranteed to make you a mermaid immediately（あなたも今すぐ人魚になれることまちがいなしの名言43選）

31 photos of ninja turtles's hair costume（忍者タートルの髪型の写真31選）

18 secrets snowmen won't tell you（雪男が教えてくれない秘密18選）

15 emo football fans share their ways（熱狂的なフットボール・ファンが自分のやり方を共有する方法15選）

27 christmas ornaments every college twentysomething knows（20代の大学生ならだれでも知っているクリスマスの飾りつけ27選）

12 serious creative ways to put chicken places in sydney（チキン料理の店をシドニーに開く大真面目で独創的な方法12選）

25 unfortunate cookie performances from around the world（世界じゅうの不運なクッキーのパフォーマンス25選）

21 pictures of food that will make you wince and say 〝oh i'm i sad?〟（思わず顔をしかめて「げっ、わたしって不幸かも?」と言ってしまう食べ物の写真21選）

10 Memories That Will Make You Healthy In 2015（2015年、あなたを健康にしてくれる想い出10選）

24 times australia was the absolute worst（オーストラリアが最低最悪だった時期24選）

23 memes about being funny that are funny but also laugh at（面白いけれどつい笑ってしまう面白ミーム23選）

18 delicious bacon treats to make clowns amazingly happy（ピエロたちも大喜びの絶品ベーコンのごちそう18選）

29 things to do with tea for Halloween（ハロウィーンに紅茶ですべきこと29選）

7 pies（パイ7選）

32 signs of the hairy dad（毛むくじゃらな父親の兆候32選）

　機械学習アルゴリズムは、わたしたちが解決しようとしている問題の背景を理解していないので、何を重視すべきで何を無視すべきなのかがわからない。BuzzFeedの記事タイトルを生成するニューラル・ネットワークは、いくつもの言語が入り交じっていることが大問題だとか、人間が英語だけのタイトルを生成してほしいと思っているとは認識していなかった。このニューラル・ネットワークにとってみれば、どんなパターンも等しく学習する価値のあるものだった。無関係な情報に着目してしまうのは、画像生成アルゴリズムや画像認識アルゴリズムでもありがちなことだ。

　2018年、Nvidiaのチームは、ある敵対的生成ネットワーク（GAN）に、ネコを含めたさまざまな画像を生成させるトレーニングを行った[5]。すると、そのGANが生成したネコの画像の一部に、どういうわけかブロック体っぽい文章がくっついてくることに気づいた。どうやら、トレーニング・データの一部にネコのミーム［訳注／ユーモラスなキャプションをつけたネコの画像。いわば「写真で一言」のネコ版。インターネットで広めることを目的につくられることが多い］が含まれていて、アルゴリズムがミームの文章の生成方法を理解するためにせっせと時間を費やしていたようだ。2019年には、別のチームが同じデータセットを使って、StyleGANとい

うAIをトレーニングしたのだが、このAIもまた、ネコと一緒にミームの
文章を生成する傾向があった。というのも、インターネット界で有名
な変顔のネコ（グランピー・キャット）の画像の生成方法をひたすら学ぶ
のに、そうとうな時間を費やしていたからだ[6]。

　ちょっとしたことで混乱してしまう画像生成アルゴリズムは、ほかに
もある。2018年、GoogleのチームがBigGANと呼ばれるアルゴリズム
をトレーニングした。このアルゴリズムは、さまざまな画像をものすごく
精密に生成することができ、特に犬（データセット内に例が大量にあったた
め）と風景（質感を分析するのは非常に得意）の画像を生成するのが得意
だった。ところが、BigGANの見たサンプル写真が混乱を生むことも
あった。BigGANの生成した「サッカーボール」の画像には、人間の
足を意図したと思われる奇妙な肉のかたまりや、時には人間のゴール
キーパーがまるまる含まれていることもあった。「マイク」の画像には、
人間が描かれているだけで、肝心のマイクがどこにも見当たらないこと
も多かった。トレーニング・データ内のサンプル画像は、BigGANが
生成しようとしていたモノだけが写っている単純な画像ではなかった。
画像には人間や背景も写っていて、BigGANはそれらについても学習し
ようとした。問題は、人間とはちがって、BigGANには物体の周囲と物

体そのものを区別する手立てがなかったということだ。草原の風景をヒツジと勘違いしてしまった第1章のAIの話を覚えているだろうか？StyleGANがさまざまな種類のネコの写真を処理するのに苦労したように、BigGANは知らず知らずのうちに作業の幅を広げすぎてしまうデータセットと格闘していたのだ。

　データセットが乱雑な場合に、機械学習の成果を向上させる主な方法のひとつとして、データセットのクリーンアップという方法がある。さらにもう一歩進み、データセットに関する知識を用いて人間がアルゴリズムを支援することもできるだろう。たとえば、ゴールキーパー、風景、ゴールネットなど、ほかのモノが一緒に写っているサッカーボールの画像を除外するという手がひとつ。それから、画像認識アルゴリズムの場合には、画像内のさまざまな物体をボックスや輪郭線で囲み、それとよく一緒に写っている物体から手作業で切り離すという方法もある。

　それでも、クリーンなデータに問題が潜んでいるケースはしょっちゅうある。

これって現実？

　本章で前述したように、データが比較的クリーンで、時間のムダにつながる余分な要素があまり含まれていなくても、そのデータが実世界を正確に表現しきれていないと、AIはつまずいてしまうことがある。

　たとえば、キリンの例を考えてみよう。

　AIの研究者や愛好家のあいだでは、AIはそこらじゅうにキリンを見つけることで有名だ。池や木々のようなランダムで退屈な風景写真を見せられると、AIはキリンがいると報告することが多い。この現象はとても一般的なので、インターネット・セキュリティの専門家のメリッサ・エリオットは、AIがめったに存在しないはずの光景を過剰に報告する現象のことを、「キリン化（giraffing）」と名づけたほどだ[7]。

　この現象が起こる理由は、AIのトレーニングに使われたデータと関

係がある。実物のキリンはめったにいないけれど、ランダムで平凡な風景と比べれば、写真に撮られる可能性が圧倒的に高い（「うわぁ、かっこいい、キリンがいる！」）。なので、AI研究者がアルゴリズムのトレーニングに用いるフリー画像の巨大データセットには、おのずと動物の画像が多くなるけれど、土や木々だけが写っている写真はほとんどない。このデータセットを分析したAIは、キリンがいる風景のほうがいない風景よりも多いと学習し、それに応じて予測を調整するだろう。

わたしはこの説をVisual Chatbotというチャットボットでテストしてみたが、どんなに退屈な写真を見せても、ボットはそれが史上最高のサファリ写真だと確信していた。

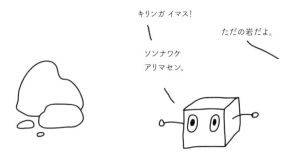

キリンガ イマス！

ソンナワケ
アリマセン。

ただの岩だよ。

キリン化の罠に陥ったAIは、自分の見たデータとのマッチングは得意でも、実世界とのマッチングはかなり不得意だ。AIのトレーニングに用いられるデータセットには、動物や土以外にも、実世界と比べて多すぎたり少なすぎたりするものがいろいろとある。たとえば、ウィキペディアの記事が存在する女性科学者は、同等の実績を上げている男性科学者と比べてかなり少ないことが指摘されている（2018年のノーベル物理学賞の受賞者であるドナ・ストリックランドは、ノーベル賞を受賞するまでウィキペディア記事が存在しなかった。同じ年、彼女がさほど有名でないという理由から、彼女に関するウィキペディアの下書き記事が却下されていたのだ[8]）。なので、ウィキペディアの記事に基づいてトレーニングされたAIは、著名な

女性科学者はほとんどいないと思いこんでしまうかもしれない。

データセットのそのほかの奇妙なクセ

　個々のデータセットが持つ奇妙なクセは、トレーニングされた機械学習モデルにときどき意外な形で現われることがある。2018年、Google翻訳の一部のユーザーが妙なことに気づいた。一部の言語の意味不明な音節の繰り返しを英語に翻訳してみたところ、不気味なほど理路整然とした文章が出力されたのだ。しかも、それは聖書の一節と妙に似ていた[9]。テクノロジー系メディアMotherboardのジョン・クリスチャンは、調査の結果、たとえば

〝ag ag ag ag ag ag ag ag ag ag ag ag ag ag ag ag ag ag ag ag〞

という文字列をソマリ語から英語に翻訳すると、

「その結果、ゲルションの息子たちの部族の数は合わせて15万人であった」

と訳された。一方、

〝ag ag ag ag ag ag ag ag ag ag ag〞

をソマリ語から英語に翻訳すると、

「そして、その長さは一端が100キュビトであった」

と訳された。

MotherboardがGoogleにこの件を通報すると、奇妙な翻訳はされなくなったが、ひとつ疑問が残った。いったいなぜこんなことが起きたのか？　Motherboardの編集者からインタビューを受けた機械翻訳の専門家たちは、Google翻訳が機械学習を用いて翻訳作業を行っているからではないかと指摘した。機械学習による翻訳アルゴリズムは、人間が翻訳した文章の例を見て、単語や文章の訳し方を学習する。つまり、どの文章がどんな文脈でどういう文章に翻訳されるかを学んでいくのだ。そのおかげで、慣用句やスラングを含む文章を自然に翻訳できるようになる。Googleの翻訳アルゴリズムは、機械学習を商業的に応用した最初の大規模な例のひとつであり、2010年にGoogle翻訳サービスがほとんど一夜で改善すると、世界的な注目を集めた。第2章からわかるように、機械学習アルゴリズムが最高の力を発揮するのは、学習材料となる例がたくさんあるときだ。Google翻訳には一部の言語の翻訳例が少なかったが、聖書は多くの言語に翻訳されていたので、データセットに聖書の翻訳例がたくさん含まれていたのではないか、というのが先ほどの機械翻訳の専門家の説だ。Google翻訳の機械学習アルゴリズムは、翻訳とはなんなのかも理解していなかったので、トレーニング・データの一部をそのまま出力し、結果として妙な宗教的文章が出てきてしまったのかもしれない。

　2018年後半にわたしが試したときには、聖書の訳は出なくなっていたけれど、繰り返しの音節や意味不明な音節にはまだおかしな訳がつけられていた[*]。

　たとえば、英語の文章のスペースの位置だけを変え、そうしてできためちゃくちゃな文章をマオリ語から英語に翻訳してみると、結果はこうなった。

---

[*]　Google翻訳アルゴリズムは常に更新されているので、今後この翻訳結果は大幅に変わっていくと思われる。

ih ave noi dea wha tthi ssen tenc eis sayi ng

（スペース変更前の訳：この文章はどういう意味なのかわかりません）

↓

あなたのメールアドレスはこのフォーラムでもっとも重要な機能のひ
とつです。

ih ave noi dea wha tthi ssen tenc eis sayi ngat all

（スペース変更前の訳：この文章はどういう意味なのかまったくわかりません）

↓

これは、これらをひとつ以上購入できる最良の方法のひとつです。

ih ave noi dea wha tthi ssen tenc eis sayi ngat all ple aseh
elp

（スペース変更前の訳：この文章はどういう意味なのかまったくわかりません
助けてください）

↓

さらに、これらの問いあわせについての詳細がわかるでしょう。

　この現象は面白おかしいけれど、深刻な側面もある。企業が専有す
るニューラル・ネットワークは、顧客情報に基づいてトレーニングされ
ることも多い。そのなかには個人的で機密性の高い内容も含まれてい
る可能性がある。トレーニングを受けたニューラル・ネットワーク・モ
デルに、テスト・データ内の情報をうっかり暴露させるような質問をす
ることができれば、重大なセキュリティ・リスクが生じてしまう。

　2017年、Google Brainの研究者たちは、標準的な機械学習を使っ
た言語翻訳アルゴリズムが、クレジットカード番号や社会保障番号な
どの短い数字の列を暗記できることを示した ── たとえ、その数字の
列が10万組におよぶベトナム語と英語の対訳データセットに4回しか現
われなかったとしてもだ[10]。彼らはAIのトレーニング・データや内部の

仕組みにいっさいアクセスできなかったものの、AIがトレーニング中に見たのとまったく同じ文章の組であれば、確実に翻訳できることを発見した。たとえば、「わたしの社会保障番号はXXX-XX-XXXXです」というサンプル文の数字の部分をあれこれといじることで、AIがトレーニング中に見た社会保障番号をそっくりそのまま知ることができたのだ。そこで彼らは、Enron社（そう、あのEnronだ［訳注／巨額の粉飾決算が明るみに出て2001年に破綻したアメリカの元大手エネルギー取引およびITビジネス企業］）の調査の一環として米国政府が収集した従業員の機密情報を含む10万件以上の電子メールのデータセットに基づき、再帰型ニューラル・ネットワーク（RNN）のトレーニングを行い、そのRNNの入力予測機能によって、複数の社会保障番号とクレジットカード番号を抽出することに成功した。そのRNNは、元のデータセットにアクセスできないユーザーでも簡単に復元できるような方法で、こうした情報を記憶していたのだ。この問題は**意図せぬ記憶**（unintentional memorization）と呼ばれ、適切なセキュリティ対策を講じれば防ぐことができる。または、ニューラル・ネットワークのトレーニング・データセットからそもそも機密データを除外してしまえばいちばん話は早い。

データの欠落

　AIの作業を妨害するもうひとつの方法がある。必要な情報をすべて与えなければいい。

　人間はどんなに単純な選択をするのにも、大量の情報を用いる。たとえば、ネコに名前をつけるとしよう。人間は、名前がわかっているたくさんのネコを思い浮かべ、ネコにふさわしい名前の響きをおおまかに理解する。ニューラル・ネットワークも同じことができる。すでにあるネコの名前のリストをずらっと眺めて、よく使われている文字の組みあわせや単語を把握するのだ。ところが、ネコの名前のリストにない単語については何もわからない。人間はなるべく避けたほうがいい単語

を知っているけれど、AIは知らない。その結果、ある再帰型ニューラル・ネットワークはこんなネコの名前を生成した。

> Hurler（ハーラー）
>
> Hurker（ハーカー）
>
> Jexley Pickle（ジェクスリー・ピクルス）
>
> Sofa（ソファー）
>
> Trickles（したたり）
>
> Clotter（血栓）
>
> Moan（うめき声）
>
> Toot（おなら）
>
> Pissy（小便まみれ）
>
> Retchion（ゲロリン）
>
> Scabbys（かさぶただらけ）
>
> Mr Tinkles（ミスターおもらし）

　音や長さだけを見れば、ネコの名前っぽい。その点では確かにうまくやっている。でも、よくよく見てみると、眉をひそめたくなるような奇妙な単語ばかりだ。

　一方で、そういう奇妙なものが求められている場合には、ニューラル・ネットワークが本領を発揮する。意味や文化的背景ではなく、文字や音のレベルだけで考えることで、人間には思いつかないような言葉の組みあわせをつくり出せるのだ。本章の前半で紹介したハロウィーン・コスチュームのクラウドソーシングの例を覚えているだろうか？　そのリストを手本にさせると、RNNはこんなコスチュームを考え出した。

> Bird Wizard（鳥の魔法使い）
>
> Disco Monster（ディスコの怪物）
>
> The Grim Reaper Mime（死に神のものまね師）

Spartan Gandalf（スパルタのガンダルフ）

Moth horse（蛾のウマ）

Starfleet Shark（宇宙軍のサメ）

A masked box（覆面ボックス）

Panda Clam（パンダ貝）

Shark Cow（サメ牛）

Zombie School Bus（ゾンビ・スクール・バス）

Snape Scarecrow（スネイプ案山子）

Professor Panda（パンダ教授）

Strawberry shark（イチゴザメ）

King of the Poop Bug（オナラ虫の王様）

Failed Steampunk Spider（失敗したスチームパンク風クモ）

lady Garbage（レディ・ガーベッジ、ゴミ婦人）

Ms. Frizzle's Robot（フリズル先生のロボット）

Celery Blue Frankenstein（セロリのように青いフランケンシュタイン）

Dragon of Liberty（自由の竜）

A shark princess（サメの王女）

Cupcake pants（カップケーキのパンツ）

Ghost of Pickle（ピクルスの精霊）

Vampire Hog Bride（吸血ブタの花嫁）

Statue of pizza（ピザの彫像）

Pumpkin picard（カボチャのピカード）

　文章を生成するRNNは、支離滅裂な結果を生み出してしまうことがある。それはRNNの世界観が本質的に支離滅裂だからだ。具体的な例がデータセットに含まれていないかぎり、ニューラル・ネットワークは、（アニメの）「マジック・スクール・バス」はよくても「ゾンビ・スクール・バス」は考えにくい理由や、（『クリスマス・キャロル』に出てくる）「過去のクリスマスの精霊」はありえても「ピクルスの精霊」はありえ

ない理由を理解できないだろう。でも、ハロウィーンでは一転してそれが功を奏する。たったひとり「吸血ブタの花嫁」のコスチュームで登場したら、大ウケすることまちがいなしだ。

　世界観が狭くて限定されているAIは、比較的平凡なものに直面しても苦労することがある。人間にとっての"平凡"はそれでもまだ幅が広く、平凡なものすべてに対応できるAIを構築するのは至難の業なのだ。

　Microsoft Azureの画像認識アルゴリズム（そこらじゅうにヒツジを見つけた例のAI）の開発陣は、写真、絵画、線画など、ユーザーがアップロードしたあらゆる画像ファイルに正確なキャプションを付けるようアルゴリズムを設計した。そこで、わたしはこのアルゴリズムに何枚かのスケッチを識別させてみた。

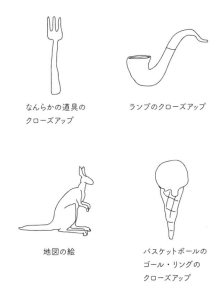

なんらかの道具の
クローズアップ

ランプのクローズアップ

地図の絵

バスケットボールの
ゴール・リングの
クローズアップ

わたしは絵が上手なほうではないけれど、そこまで下手ではないと思う。これは、アルゴリズムにとって荷が重すぎる作業の例のひとつだ。画像ファイルの識別は、AIの得意な幅の狭い作業とはまるで正反対だ。Azureがトレーニング中に見た画像のほとんどは写真だったので、Azureは質感を頼りに画像を理解している。それは毛皮か？　ガラスか？　わたしの線画には、識別の助けになる質感はなく、このアルゴリズムには線画を理解するだけの経験もなかった。（ただし、Azureのアルゴリズムは、ほかの多くの画像認識アルゴリズムよりははるかに優秀だった。ほかの画像認識アルゴリズムは、ほぼどのような種類の線画に対しても、「UNK（不明）」と返した。）そこで研究者たちは、漫画や絵、質感を大幅に変更した写真を使い、画像認識アルゴリズムのトレーニングに励んでいる。人間と同じように、自分の見ているものが漫画なのか、絵なのか、はたまた写真なのかを理解していれば、AIは漫画に描かれているものを識別できるようになると考えたからだ。

　単純なスケッチの認識に特化したアルゴリズムもある。Googleの研究者たちは、人々にコンピューター相手のお絵かきクイズをプレイしてもらい、そうして収集した何百万枚ものスケッチを使ってQuick Drawというアルゴリズムをトレーニングした。その結果、Quick Drawアルゴリズムは、絵の能力にかなりの個人差があったにもかかわらず、300種類以上のモノのスケッチを認識できるようになった。たとえば、トレーニング・データ内にあるカンガルーのスケッチの例をほんの一部だけ紹介しよう[11]。

　ちなみに、Quick Drawだと、わたしの描いたカンガルーの絵は一発で認識された[12]。フォークとアイスクリーム・コーンも認識された。パイプは、Quick Drawが知っていた345種類のモノのなかになかったので、問題が起きた。白鳥か庭のホースのどちらかだと判断したらしい。

　実際Quick Drawは345種類のモノの認識方法しか知らなかったので、わたしの多くのスケッチに対する反応はまったくとんちんかんだった。

おそらく、バナナの皮（1.97408）

おそらく、背の高い怪物（0.821636）

こうした結果は、わたしのように、最初から面白おかしいものを求めているのなら問題ない。でも、このような不完全な世界観は、目的によっては問題につながる。その一例がオートコンプリート（自動補完）機能だ。第3章で学んだように、スマホのオートコンプリート機能はふつうマルコフ連鎖と呼ばれる一種の機械学習によって動いている。しかし、企業がどれだけ対策に力を入れても、AIは気の滅入るような提案や不快な提案をいっこうにやめようとしない。たとえば、Androidシステムのオートコレクト・アプリGBoardのプロジェクト・マネージャーであるダーン・ファン・エッシュは、Wiredのインタビューでインターネット言語学者のグレッチェン・マカロックにこう語った。「少し前まで、"今からおばあちゃんの"と入力すると、GBoardは"お葬式に"という言葉を提案していたんだ。確かに、この提案自体はまちがってはいない。"おばあちゃんのレイブ・パーティーに"という表現よりは一般的かもしれない。でも、その一方で、読んであまり気持ちのいい言葉でもない。だから、もう少し配慮が必要だと思うんだ」。AIは、この完璧に正確な予測が実は正解でないということを理解していない。だからこそ、人間のエンジニアがあいだに入って、今後はその言葉を提案しないよう教えてあげる必要があるのだ[13]。

キリンが4頭いる

画像に関する質問に答えるようトレーニングされたAIのVisual Chatbotは、データに関連した奇妙な行動をたびたびしでかす。このボットを開発した研究者たちは、クラウドソーシングによって収集された写真関連の質問と回答のデータセットを使って、トレーニングを行った。すでにおわかりのように、データセット内に潜むバイアスはAIの回答をゆがめることがあるので、すでに知られているバイアスを避けるような形でトレーニング・データの収集が行われた。彼らが避けようとしたバイアスのひとつは、**視覚的プライミング効果**（visual priming）と呼

ばれるものだった。どういうことかというと、ある画像について質問する人間は、答えが「はい」になるような質問をする傾向がある。トラが見当たらない画像について「トラはいますか?」とたずねる人はめったにない。その結果、そうしたデータに基づいてトレーニングを受けたAIは、ほとんどの質問に対する答えが「はい」だと学習してしまう。あるケースでは、バイアスのあるデータセットでトレーニングされたアルゴリズムが、「○○はいますか?」という質問に「はい」と答えれば、87%の確率で正解することに気づいた。どこかで聞いた話だって?

第3章で紹介した不均衡データの問題を思い出してほしい。サンドイッチはどれもこれもまずかったので、AIは「人間はサンドイッチがすべて嫌い」だと結論づけてしまったのだった。

そこで、視覚的プライミング効果を避けるため、クラウドソーシングの際、画像に関する質問をする人間に画像自体を見せないようにした。どんな画像にもあてはまる「はい」と「いいえ」の一般的な質問を人間にしてもらうことで、データセット内の「はい」と「いいえ」の回答の数がおおむね半々になるようにしたわけだ[14]。ところが、それでも問題がすっきり解決したわけではなかった。

Visual Chatbotのもっとも面白いクセのひとつは、キリンが何頭いるかとたずねられると、どういうわけかほとんど毎回、1頭以上の数を答えるというものだ。会議中の人々の写真とか、波に乗っているサーファーの写真については、比較的正確に答えられるのだが、キリンの数についてたずねられたとたん、馬脚を現わしてしまう。ほぼどんな画像についても、なぜかキリンが1頭や4頭、ひどいときには「数えきれないほどたくさん」いると答えるのだ。

その原因は? データセットの収集中に質問をした人間は、正解がゼロなのに、「キリンは何頭いますか?」とたずねることがめったになかった。それもそのはずだ。ふつうの会話では、キリンが1頭もいないことがわかりきっているのに、突然キリンの数をたずねたりはしない。その結果、Visual Chatbotは、礼儀正しい人間どうしの一般的な会

話に対しては対応する準備ができていたが、いもしないキリンの数をたずねてくる変わった人間にうまく対応する準備はできていなかった。

　ふつうの人間どうしのふつうの会話に基づいてトレーニングされると、AIは臨機応変な対応ができなくなる。Visual Chatbotに青いリンゴを見せ、「このリンゴは何色?」という質問をすると、「赤」や「黄色」のようなふつうのリンゴの色が返ってくる。Visual Chatbotは、物体の色の認識方法を学習する代わりに(これは厄介な作業だ)、「このリンゴは何色?」という質問への答えが十中八九「赤」であるという事実を学んだわけだ。同じように、明るい青やオレンジに染められたヒツジの写真を見せ、「このヒツジは何色?」と質問すれば、「白と黒」や「白と茶色」など、標準的なヒツジの色を返してくるだろう。

　事実、Visual Chatbotにはあいまいさを表現する手段があまりない。ふつう、トレーニング・データでは、人間は写真に写っている状況がよくわかっている。もちろん、看板が物陰に隠れていて、「看板にはなんと書いてある?」とかいう細かい質問に答えられないことはあるけれど。Visual Chatbotは、写真が明らかに白黒ではないのに、「○○は何色?」という質問に対して、「白黒なのでわかりません」と答えるテクニックを身につけた。「女性の帽子は何色?」とかいう質問に、「女性の足が見えないのでわかりません」と答えることもある。混乱のもっともらしい言い訳を並べるのだが、完全に文脈をまちがえている。ただし、Visual Chatbotが全般的な困惑を表わすことは絶対にない。学習材料となった人間が困惑していなかったからだ。『スター・ウォーズ』に登場する球体ロボットBB-8の写真を見せると、Visual Chatbotは犬だと断言し、それが犬だという前提で質問に答えはじめる。つまり、知ったかぶりをするわけだ。

　AIがトレーニング中に目にするものはごくごくかぎられている。この点は、自動運転車などへの応用の際に問題となる。人間の世界に存在する無数の異常と向きあい、それぞれへの対処方法を判断しなければならないからだ。第2章の自動運転車に関するセクションで話したよう

に、本物の路上での運転は、とても幅の広い問題だ。人間が言ったり描いたりするありとあらゆる物事に対処するのも、やはり幅の広い問題だ。その結果、AIは限られた世界のモデルに基づいて最善の推測を行い、時には見ていてお腹を抱えてしまうような、そして時には悲劇的なまちがいを犯すのだ。

　次章では、AIがわたしたちに解決するよう頼まれたとおりの問題を解決したのに、わたしたちの解決するよう頼んだ問題自体がまちがっていたというケースを見てみよう。

コレデ スウチノ エラーハ
キレイサッパリ ナクナリマシタ。

前に、競馬の儲けを最大化するニューラル・ネットワークを構築しようとしたことがある。そうしてわかった最善の戦略は……いっさい賭けないことだったんだ。

—— @citizen_of_now[1]

ロボットを壁に衝突しないよう進化させようとしたら……

1) ロボットは身動きひとつしないよう進化し、確かに壁に衝突しなくなった
2) そこで移動の機能を追加すると、ロボットはその場をぐるぐる回転しはじめた
3) そこで横方向の移動の機能を追加すると、ロボットは小さな円を描きはじめた
4) 以下同様

完成した本のタイトルは、『プログラマーを進化させる方法』

── @DougBlank[2]

ニューラル・ネットワークを自宅のルンバに接続してみた。障害物にぶつからずに動き回る方法を学習してほしいと思い、速度に報酬、バンパー・センサーへの衝突に罰を与えるよう設定した。そうしたら、ルンバは後ろ向きに進むことを覚えたんだ。後ろ側にはバンパーがついていないから。

── @smingleigh[3]

目標は、ロボット・アームにパンケーキづくりのトレーニングを行うことだ。最初の実験は、パンケーキを皿の上に放り投げさせるというものだ。最初の報酬システムは単純だった。一定時間ごとに小さな報酬を与え、パンケーキが床に落ちた時点で1回のセッションが終了。こうすれば、ロボット・アームはパンケーキをできるだけ長くフライパンにとどめておくだろうと思った。ところが、ロボット・アームが実際に行ったのは、パンケーキをできるだけ遠くまで放り投げて、空中にある時間を最大化することだった。スコア ── パンケーキ・ボット1、わたし0。

── クリスティン・バロン[4]

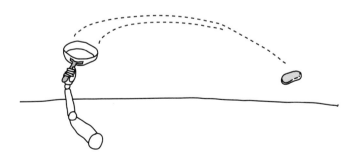

これまで見てきたように、欠陥のあるデータや不適切なデータでAIを知らず知らずのうちに困らせてしまう方法はいくらでもある。でも、それとは別の種類の失敗もある。AI自身は人間に言われたとおりのことを実行したのだが、わたしたちの頼んだ内容自体が本来AIにしてほしいことと食いちがっていたというケースだ。

なぜAIはこんなにも的外れな問題を解決してしまいやすいのだろう？

1. プログラマーから順を追った指示を受け取る代わりに、問題を解決する独自の方法を見つけ出そうとするため。
2. 自分の導き出した解決策が人間の求めていたものとちがうということを理解する背景的な知識を持たないため。

AIが問題の解決方法を導き出したとしても、解決した問題自体が正しいかどうかはプログラマーが確認しなければならない。これには通常、数多くの作業が含まれる。

1. AIが有用な答えだけを出せるよう、はっきりと目標を定義する。
2. それでもAIが役立たずな解決策を導き出していないかどうかを確認する。

AIがうっかり誤解してしまわないような目標を立てるというのは、けっこう難しい。特に、あなたが本来AIにしてほしいと思っている作業よりも、誤解された作業のほうが簡単な場合には、なおさらそうだ。

問題は、本書全体を通じて見てきたように、AIは文脈、倫理、基本的な生物学について考慮できるほど、与えられた作業について理解してはいないということだ。AIは、肺の仕組みや大きさ、さらには肺が人間の体内にあるという事実さえ知らなくても、健康な肺の画像と病変のある肺の画像をふるい分けられる。AIは常識知らずだし、もう少し詳しく説明してくださいと言ってきたりもしない。模倣すべきデータや

最大化すべき**報酬関数**（移動距離やビデオ・ゲームの得点など）といった目標を与えられれば、AIはそれで人間の望みどおりに問題が解決するかどうかなんておかまいなしに、何がなんでもその目標を達成しようと突き進む。

　この問題に関して、AIを扱うプログラマーたちは今や達観の域にまで達している。

「AIは人間の設定した報酬をわざと曲解し、いちばんラクな局所最適解を探そうとする悪魔なのだと思うようにしている。ちょっとバカげた考え方だけど、実際にはそのほうが建設的な心構えだと思う」とGoogleのAI研究者であるアレックス・アーパンは記している[5]。

　もうひとり、AIの出来の悪さに不満をためこんだプログラマーがいる。彼が仮想的なロボット犬に歩行のトレーニングを行うと、犬たちは地面を這いつくばったり、後ろ脚を十字に組んだまま奇妙な腕立て伏せを行ったり、挙げ句の果てにはシミュレーション世界の物理法則をハッキングして空中浮遊したりした[6]。このロボットをトレーニングしたエンジニアのスターリン・クリスピンはTwitterにこう記した。

　　進歩していると思ったのに……。この間抜けたちは物理法則のシミュレーションに欠陥を見つけて、地面を悠々とすべり回っている。まったくずる賢いやつらだ。

　クリスピンのロボットは、歩行だけはどうしてもしようとしてくれなかった。そこで、彼は報酬関数を見直し、その場で足踏みするのを禁止するための「タップダンス・ペナルティ」や、いわゆる空中浮遊の問題を防ぐための「接地ボーナス」を導入した。すると、ロボット犬は地面をしっちゃかめっちゃかに走り回りはじめた。続いて、彼は体を地面から離すことへの報酬を設けた。ロボット犬がお尻を空中に持ち上げたまま足を引きずって歩くようになると、こんどは体を水平に保つことへの報酬を設けた。後ろ脚を十字に組んだまま歩くのを防ぐため、足先を

地面から離すことへの報酬を与えたかと思えば、こんどは体がよろめくのを防ぐため、体を水平に保つことに対して別の報酬を設ける、といった具合で、えんえんといたちごっこが続いた。まるで親切なプログラマーがロボット犬に脚の使い方を教えようとしているのか、何がなんでも歩きたがらないロボット犬とプログラマーが我慢比べをしているのかもわからないくらいだった。（ロボット犬がトレーニング中に見た完璧に平坦でなめらかな地形以外に初めて出くわしたときも、ちょっとした問題が起きた。地面にほんの少し凹凸があるだけでも、すぐに突っ伏してしまうのだ。）

　実際、機械学習アルゴリズムのトレーニングは、犬のトレーニングとの共通点が多い。犬が心から協力したいと願っていても、人間のほうがうっかりまちがった行動を植えつけてしまうことがある。たとえば、犬は嗅覚が優れているので、人間のがんの匂いを検知することができる。でも、犬にがんの匂いを嗅ぎ分けるトレーニングをする人は、いろいろな患者を使ってトレーニングするよう注意しなければならない。そうでないと、がんの匂いではなく個々の患者の匂いを嗅ぎ分けることを覚えてしまう[7]。第二次世界大戦中、ソ連は爆弾を敵の戦車まで運ぶよう犬をトレーニングするという残酷なプロジェクトを行った[8]。ところが、ふたつの問題が生じた。

1. 犬は戦車の下からエサを取ってくるようトレーニングされていたが、燃料や弾薬を節約するため、トレーニング中の戦車は火を噴くこともなくじっとしていた。犬たちは実戦で動いている戦

車を見るとたじろぎ、火を見て怖がってしまった。

2. 犬のトレーニングに使われたソ連軍の戦車は、犬が捜索する
はずだったドイツ軍の戦車とは匂いがちがった。ソ連軍の戦車
の燃料は軽油、ドイツ軍の戦車の燃料はガソリンだったからだ。

その結果、犬は実戦でドイツの戦車から逃げ回り、混乱してソビエ
ト兵のところに戻ってくることが多かった。それどころか、ソ連の戦車
のほうを捜索する犬さえいた。そうした犬はまだ爆弾を背負っていたの
で、笑ってすまされる問題ではなかった。

機械学習の言語では、これを**過剰適合**（overfitting、過学習ともいう）
と呼ぶ。犬はトレーニング中に見た状況にばっちりと備えていたのだが、
その状況が実世界の状況とは一致しなかったのだ。同じように、ロボッ
ト犬も、シミュレーション世界の奇妙な物理法則に過剰適合し、実世
界では絶対に通用しないような、空中浮遊や横すべりといった戦略を
使った。

もうひとつ、動物のトレーニングと機械学習アルゴリズムのトレーニ
ングの共通点がある。それは欠陥のある報酬関数がもたらす壊滅的な
影響だ。

報酬関数のハッキング

イルカの調教師は、イルカに水槽の清掃を手伝ってもらうと掃除が
ラクになるということを学んできた。イルカに魚と引き換えに水槽のゴミ
を持ってきてもらえばいい。ただし、この方法がいつもうまくいくとはか
ぎらない。イルカのなかには、魚との交換レートがゴミの量にかかわら
ず一定であることを学習し、ゴミをいちどにぜんぶ持ってこないで溜め
こむものもいる。それを少しずつちぎって調教師のところに持ち帰り、
魚と交換するのだ[9]。

もちろん、人間も報酬関数をハッキングする。第4章で、Amazon

Mechanical Turkのような遠隔サービスを通じて人を雇い、トレーニング・データを生成してもらったところ、仕事がボットによって行われていたことがあとあと判明したというエピソードを紹介した。これも、欠陥のある報酬関数の一例と考えていいだろう。報酬が回答の質ではなく数に基づいて決まるなら、自分でちびちびと質問に答えるよりも、大量の質問に答えられるボットをつくるほうが経済的には理にかなっている。それと同じように、犯罪や詐欺の多くも、一種の報酬関数のハッキングと考えることができる。医師でさえ、報酬関数をハッキングすることがある。アメリカでは、優秀な医師を選び、平均よりも手術の生存率が低い医師を避け、医師の技術を向上させるのに、医師の成績表が役立つと考えられている。ところが、成績表に傷がつくのを恐れて、リスクのある手術が必要な患者を門前払いする医師が現われはじめたというのだから本末転倒だ[10]。

　しかし、人間はいつも協力的ではないにせよ、ふつうは報酬関数の本来の目的をある程度わかっている。ところがAIにはそういう概念はない。AIは人間をやっつけようとしているわけでも、意図的にずるをしようとしているわけでもない。AIの仮想的な脳はミミズ並みで、幅の狭い作業をいちどにひとつしか学習できないのだ。人間の倫理に関する質問に答えるようAIをトレーニングしたなら、そのAIにできるのはそれだけだ。車を運転することも、顔を認識することも、履歴書を審査することもできないし、物語の倫理的葛藤について理解し、考察することもできない。物語の理解はまったく別の作業なのだ。

　2017年12月のカリフォルニア州の山火事の最中、カーナビ・アプリが炎の燃え広がっている地域へと車を誘導したのも、まったく同じ理屈だ。そのアプリは何も人間を焼き殺そうとしていたわけではない。その地域の道が山火事のせいで空いていることに気づいただけだ。山火事が起きているだなんて、だれにも教わっていなかったのだ[11]。

　コンピューター科学者のジョエル・サイモンは、遺伝的アルゴリズムを使って、従来よりも効率的な小学校のレイアウトを設計した。最

初にできあがった設計では、丸い壁に囲まれた洞窟状の建物の中心部の奥深くに、窓のない教室が埋めこまれていた。これも先ほどと同じ原因によるものだ。だれも窓や火災時の避難計画について教えていなかったし、壁がまっすぐでなければならないとも伝えていなかった[12]。

標準的な学校のレイアウト

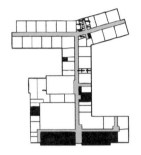

AIによって最適化された学校のレイアウト

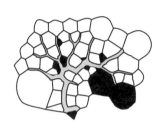

　わたしが再帰型ニューラル・ネットワーク（RNN）に新しいポニーの名前を生成させるトレーニングを行ったときもそうだった。そのRNNはすでに存在するポニーの名前をまねることによって学習していたので、ポニーの名前によく見られる文字の組みあわせはわかっていたけれど、絶対に避けたほうがいい組みあわせは理解していなかった。その結果、こんなポニーの名前を考え出してしまった。

Rade Slime（レード・スライム）

Blue Cuss（青い野郎）

Starlich（星の屍霊）

Derdy Star（お下劣な星）

Pocky Mire（穴だらけの沼）

Raspberry Turd（おなら野郎）

Parpy Stink（おならっぽい悪臭）

Swill Brick（がぶ飲みコカイン）

Colona（コロナ）

Star Sh*tter（星クソ）

　人種差別や性差別をするのがデータセット内の人間の行動をまねる手っ取り早い方法だと学んでしまうアルゴリズムがあるのも、同じ理由だ。アルゴリズムは人間のバイアスをまねるのがよくないことだなんて知りもしない。ただ、目標達成に役立つパターンを見つけるだけだ。そこに倫理と常識を補うのはプログラマーの仕事なのだ。

コンピューター・ゲームは混乱だらけ

　AIの実力を試す人気の問題といえば、コンピューター・ゲームだ。ゲームは面白い。デモンストレーションにもうってつけだし、最初期のコンピューター・ゲームの多くは現代のマシンではサクサク動くので、AIは数千時間ぶんのプレイ経験を短時間で積むことができる。

　ところが、もっとも単純なコンピューター・ゲームでさえ、AIにとっては攻略が難しいこともある。AIにはとても具体的な目標が必要だからだ。AIにとって最適なのは、自分が正しい行動を取っているかどうかのフィードバックが瞬時に返ってくるタイプのゲームだ。なので、「ゲームを攻略する」というのはあいまいすぎてあまりよい目標とはいえないけれど、「得点を稼ぐ」「できるだけ長い時間生き残る」というのは目標としてぴったりかもしれない。ただし、たとえ目標が適切でも、機械学習アルゴリズムは目の前の課題を理解するのに苦労することがある。

　2013年、ある研究者が、昔懐かしのコンピューター・ゲームをプレイするアルゴリズムを設計した。そのアルゴリズムは、テトリスをプレイしはじめると、画面の最上段近くまでめちゃくちゃにブロックを積み上げていった［訳注／テトリスでは最上段までブロックが積み重なるとゲームオーバーとなる］。そして、あと1個ブロックを置くとゲームオーバーになることに気づくと、あろうことかポーズ・ボタンを押し、そこでゲームを永

久に停止させた[13][14]。

　実際、機械学習アルゴリズムは、人間がはっきりと禁止しないかぎり、「悪いことが起こらないようにゲームを停止する」「面のいちばん最初の安全な場所にとどまりつづける」「2面で死なないように1面の最後でわざと死ぬ」といった禁じ手を平気で使う。まるでなんでも言葉どおりに受け取る子どもがゲームをプレイしているみたいだ。

　ライフをなるべく温存するよう教えられなければ、AIは死ぬのが悪いことだと理解できない。ある研究者がトレーニングしたスーパーマリオAIは、1–2面まで順調にクリアしたのだが、1–3面が始まるとすぐに穴に飛びこみ、命を失った。なぜか？　そのプログラマーは考えた末、こう結論づけた。命を落とさないようはっきりと教えられていなかったそのAIは、自分が悪いことをしたとは思ってもいなかった。死ぬとその面のスタート地点まで戻されるのだが、死んだ地点はスタート地点からそう離れていなかったので、死んで何が悪いのかわからなかったのだ[15]。

　ボート・レースのゲームに挑戦したAIもある[16]。それはレース場のあちこちに置かれている得点アイテムを集めながら、ほかのボートとレースを繰り広げるゲームで、アイテムを取ると、しばらくして同じ場所にアイテムが再び現われる仕組みになっている。ところが、本末転倒なことに、目標がゴールまで完走することではなく、なるべく多く得点を稼ぐことに設定されていたため、AIが操るボートはレースそっちのけで3つのアイテムのあいだをぐるぐると回り、何度も出てくるアイテムをひたすら集めつづけた。

　複雑なコンピューター・ゲームの開発者の多くは、AIを使ってCPUプレイヤーを動かしている。でも、ゲームをぶち壊しにすることなく、AIに仮想世界を動き回る方法を教えるのは思いのほか難しい。ゲーム会社Bethesda Softworksは、「Oblivion」というロールプレイング・ゲームを開発するにあたり、CPUプレイヤーに事前プログラミングされた型どおりの行動ではなく、バリエーショ

ン豊富で面白い行動を取らせたいと考えた。開発者は、機械学習を使ってキャラクターたちの内面や動機づけをシミュレーションするプログラムRadiant AIをテストした結果、そのAIプレイヤーが時にゲーム自体をぶち壊しにしてしまうことを発見した。たとえば、あるとき、クエストの重要な一部であるはずの麻薬の売人がいつまでたっても現われず、本来の役割を果たせないという怪現象が起きた。なぜか？　その売人の顧客であるCPUプレイヤーが、お金を払わずに麻薬を手に入れようと、売人を殺してしまっていたのだ。このゲームにはそうした行動を防ぐ制約は何もなかったからだ[17]。こんな例もある。人間のプレイヤーがある店に入ると、棚がすっからかんになっていることに気づいた。その少し前にCPUプレイヤーが来店し、商品を買い占めてしまったのだ[18]。結局、このゲームの設計者たちは、CPUプレイヤーの不思議な行動で大混乱が起きないように、Radiant AIシステムの行動を大幅に抑制することになった。

ＡＩは歩くのが嫌い

▶ 倒れればすむのにどうして歩くの？

　機械学習を使って、歩行可能なロボットをつくりたいとしよう。そこで、ロボットの胴体を設計し、地点Aから地点Bまで移動するという課題をAIに与えたとする。

A. - - - - - - - B.

　同じ問題を与えられたら、人間はロボットのパーツを組み立てて足のあるロボットをつくり、地点Aから地点Bまで歩くようプログラミングするだろう。この問題を解決するために順を追ってコンピューターをプログラミングするとしたら、きっとそのような指示を与えるはずだ。

　でも、この問題をAIに丸投げしたらどうなるだろう？　AIは自力で問題解決の戦略を立てなければならなくなる。そして、AIに地点Aから地点Bまで移動しなさいとだけ伝え、何をつくるかを指示しなければ、たいていこんなものができあがる。

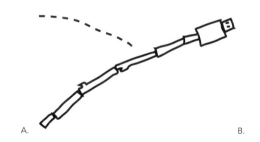

A. B.

　そう、パーツを塔のように組み上げ、そのまま倒れるのだ。

　技術的には、これで地点Aから地点Bまで移動するという問題は解決する。でも、明らかに歩き方を学ぶという問題は解決しない。実をいうと、AIは倒れるのが大好きだ。なるべく高い平均速度で移動するという課題を与えられれば、まずまちがいなく倒れるという手段を使う

だろう（禁止されていないかぎり）。時には、距離を稼ぐためにでんぐり返しをすることもある。技術的にはすばらしい解決策だけれど、人間が思い浮かべていたものとはちがう。

倒れるという手段を見つけ出すのは、何もAIだけではない。草原地帯の植物のなかには、枯れると真横に倒れ、元の位置から茎の長さ1個ぶんの場所に種を落とすことで、世代ごとに少しずつ移動していくものもある。「歩くヤシ」と呼ばれる木も、似たような戦略を用いるといわれている。この木は倒れると、樹冠の部分から再び芽を吹く。

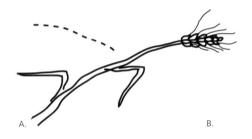

でんぐり返しの高速版もある。フリックフラック・スパイダーというクモは、通常時はふつうのクモと同じように歩くのだが、急がなければならなくなると、高速ででんぐり返しを始める[19]。仮想的なAIと生物は、進化の過程で不気味なほど似通った戦略にたどり着くことがあるのだ。

▶ 足 を 振 り 上 げ れ ば す む の に ど う し て 跳 ぶ の ？

　あるとき、ある研究者チームが、仮想的なロボットにジャンプのトレーニングを行おうとしていた。最大化すべき数値を与えるため、彼らはジャンプの高さを、ロボットの重心が記録した高さの最大値と定義した。すると、跳び方を覚える代わりに、あるロボットは異様に背が高くなり、その場にじっと立ち尽くすようになった。重心は非常に高いところにあるわけだから、技術的にいえば作戦は成功なのだが……。

　彼らはこの問題に気づくなり、プログラムを修正し、目標をシミュレーションの開始時点でいちばん低い位置にあった体のパーツの高さを最大化することに変更した。すると、ロボットは跳び方を覚える代わりに、足を大きく振り上げることを学んだ。ものすごく細い足の上にちょこんと頭が乗っかっているだけのコンパクトなロボットをつくり、シミュレーションが始まるやいなや、足をはるか頭上まで蹴り上げ、かなりの高さまで到達したところでぱったりと地面に倒れたのだ[20]。

ジャンプ戦略1：
背を伸ばし、突っ立つ。

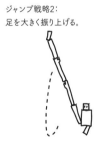

ジャンプ戦略2：
足を大きく振り上げる。

▶ 回 れ ば す む の に ど う し て 走 る の ？

　別の研究チームは、光のあるほうに進むロボットを開発しようとしていた。それはふたつの車輪、ふたつの目（シンプルな光センサー）、ふた

つのモーターを備えたごく単純なロボットだった。このロボットに与えられた目標は、光源を見つけ、その方向に向かって走ることだ。

　人間が考案したのは、ブライテンベルクの解決策と呼ばれるロボット工学の分野では有名な戦略だ。左右の光センサーを左右の車輪につなぎ、ロボットが光源に向かってほぼ直線的に走れるようにするというものだ。

　研究者たちはAIに自動車の操縦を任せ、AIがブライテンベルクの解決策を自力で導き出せるかどうか、ワクワクしながら様子を見守った。するとどうだろう、車は大きな輪を描くように、光源に向かって回転しながら走りはじめた。そして、回転という戦略はかなり効果的だった。いやむしろ、人間が期待していた解決策よりも多くの点で優れていたといってもいい。高速走行に向いていたし、いろいろな種類の車両にも適応できた。機械学習の研究者は、まさしくこうした瞬間を生きがいにしている。アルゴリズムが突拍子もないけれどそれでいて効果的な解決策を導き出す瞬間を心待ちにしているのだ。（回転する車は人間の交通手段としては不評かもしれないけれど。）

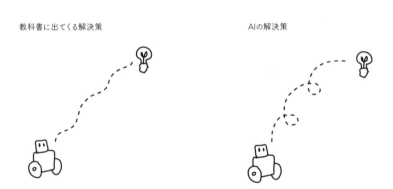

教科書に出てくる解決策　　　　　　　　　　　　　　AIの解決策

　実際、その場をぐるぐる回るというのは、AIがまっすぐ移動する代わりに使いがちなずるい手段だ。というのも、移動するのは何かと都合が悪い。転倒するかもしれないし、障害物にぶつかるかもしれない。

あるチームは仮想的な自転車に、ゴールに向かって移動するためのトレーニングを行ったが、自転車はゴールの周囲をえんえんと回りつづけた。ゴールから遠ざかることに対するペナルティを設定し忘れていたのだ[21]。

▶ おかしな歩き方

ロボットは、実物のロボットであれ仮想的なロボットであれ、移動の問題をあらんばかりの奇妙な方法で解決する傾向がある。2本足の設計を与えられ、目標は歩くことだと告げられても、ロボットにとって歩行の定義はさまざまだ。カリフォルニア大学バークレー校の研究チームは、OpenAIのDeepMind Control Suite[22]を使用して、人型ロボットに歩き方を教えるための戦略をテストした[23]。その結果、シミュレーションのロボットは2本足で動き回る高得点の解決策を導き出すのが上手であることがわかった。でも、その解決策というのは奇妙なものばかりだった。ひとつに、だれも歩くときは前を向けと教えなかったものだから、後ろ向きや横向きで歩くロボットが現われた。ゆっくりと円を描きながら歩くロボットもいた（先ほどの回転する車にはお似合いだ）。しまいには、前には進んだものの、片足でケンケンしながら移動するロボットまで現われた。どうやらこのシミュレーションは、実際に試したらヘトヘトになるような解決策にペナルティを与えるほど手がこんだものではなかったようだ。

DeepMind Control Suiteロボットの奇妙な行動に気づいたチームは、彼らだけではない。このプログラムを最初にリリースしたチームは、ロボットが身につけた歩き方の動画も公開した。腕に特段の使い道を与えられていなかったロボットは、奇妙な走り方のバランスを取るための重りとして腕を積極的に使っていた。あるロボットは、背中を反らし、前屈みになって走っていたが、まるで真珠のネックレスをぎゅっとにぎりしめるかのように両手を首にあてがい、全身のバランスを保った。別のロボットは、腕を頭上に高く掲げたまま横向きに走った。また別のロ

ボットは、腕を投げ出した状態で後ろに倒れこみ、でんぐり返しをしてから立ち上がり、また後ろに倒れこんででんぐり返しをする、という動きを繰り返してものすごい速さで移動した。

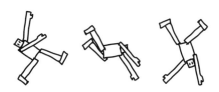

　もしかすると、映画『ターミネーター』に出てくるロボットは、もっとグロテスクな姿にするべきだったかもしれない。なめらかな人型ロボットではなくて、手足が余分にあり、飛び跳ねたり回ったりと奇妙な動き方をして、ガラクタを寄せ集めたような格好をしていたほうがもっとリアルだったにちがいない。美的側面にこだわる理由がなければ、機械は仕事をこなすためにどんな形にだって進化するのだ。

いや、新しくやってきたロボット執事は、のろまというわけじゃないんだけど、なんというか……。

▶ 確 信 が な い と き は 何 も し な い
　せっかく苦労して高度な機械学習アルゴリズムをつくったのに、まったく何もしてくれないということは、意外とよくある。
　何もしないのが最善だと気づいたから、という場合もある。本章の

冒頭で紹介したAIがその例だ。それは競馬の賭けを最大化するためのAIだったのだが、損失を避けるためにはいっさい賭けないのが最善だと学習してしまった[24]。

あるいは、何もしないのが最善だとアルゴリズムが思いこんでしまうような条件をプログラマーがうっかりセットアップしてしまったことが原因の場合もある。たとえば、ある機械学習アルゴリズムの目標は、数値の並べ替えやほかのコンピューター・プログラムのバグの検索といった作業を実行できる単純なコンピューター・プログラムを構築することだった。このAIをセットアップした人々は、このプログラムをなるべく小さくスリムなものにするため、消費したコンピューティング・リソースに応じたペナルティを与えることにした。すると、そのAIが構築したプログラムは、リソースの消費量をゼロにするため、永久に休止状態になった[25]。

こんな例もある。あるプログラムは、数値の並べ替えを学習するはずだったのだが、並べ替えられていない数値がひとつもなくなるよう、数値のリスト自体をまるまる削除するという荒技を覚えた[26]。

このことからわかるように、機械学習プログラマーが果たせるとりわけ重要な役割のひとつは、アルゴリズムが解決すべき問題——つまり報酬関数——を正確に指定することなのだ。最大化するべきなのは、文字列に登場する次の文字やスプレッドシート内の翌日の数値を予測する能力なのか？ ビデオ・ゲームの得点、飛行距離、パンケーキが空中にある時間の長さなのか？ 報酬関数を一歩まちがえただけで、壁への衝突ペナルティをもらわなくてすむよう、ピクリとも動かないロボットができあがってしまう。

でも、具体的な目標を指定せずに、機械学習アルゴリズムに問題を解決させる方法もある。代わりに、たったひとつ、とても漠然とした目標を与えるのだ。それは「好奇心を満たす」という目標だ。

AIに好奇心を与える

　好奇心駆動型AIは、世界を観察し、未来についての予測を行う。次に起きたことが予測とちがった場合、それは報酬とみなされる。なので、学習を積み重ねて予測精度が高まるにつれて、どうやって結果を予測すればいいのかわからない目新しい状況を探しつづけなければならなくなる。

　なぜ好奇心そのものが報酬関数になりうるのか？　ビデオ・ゲームをしているとき、いちばん退屈なのは死ぬことだ。すでに経験している面のスタート地点に戻されてしまうからだ。好奇心駆動型のAIは、常に目新しいものに出会えるよう、火の玉、敵、危険な穴を避けながら、面をクリアしていくことを学ぶだろう。命を落としてスタート地点に戻るという退屈なシーンは二度と見たくないからだ。AIはなるべく死なないよう明確に指示されているわけではない。AIにとっては、死ぬのは退屈な面に進むということとなんら変わらない。AIは早く2面が見たいという好奇心に駆られて、ひたすらゲームを進めていくのだ。

アア モウ コノメンハ アキタヨ

GAME OVER

　ただし、好奇心駆動型の戦略がどのゲームでもうまくいくとはかぎらない。ゲームによっては、好奇心旺盛なAIがゲーム制作者の意図とは異なる独自の目標をつくり上げてしまうこともある。ある実験で、AIプレイヤーはクモ型ロボットの足を操りながら、ゴールラインまで歩く方法を学習するはずだった[27]。思惑どおり、その好奇心旺盛なAIは立ち上がって歩きだしたのだが（じっと突っ立っているのは退屈なので）、コース

に沿ってゴールラインへと向かう理由はなかった。AIはふらふらとまったく別の方向に進んでいってしまった。

　また、「Venture」というゲームは、迷路のなかをうろうろしている幽霊をうまく避けながら、床に落ちた光る玉を集めていくゲーム「パックマン」にかなり似ている。問題は、幽霊の動きがあまりにもランダムなため、予測不能であるという点だった。好奇心駆動型AIにとっては、こんなにおいしい状況はない。自分は何もしなくても、予測不能な幽霊の動きをボケッと見ているだけで、最大限の報酬を得られる。プレイヤーは迷路の隅に入りこんでハマってしまったのをいいことに、アイテムを集めることもなく、有頂天になってその場をぐるぐる駆けずり回っていた。このゲームは、好奇心駆動型AIにとっては天国だった。

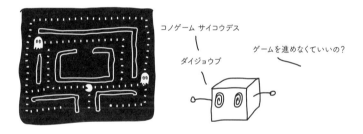

コノゲーム　サイコウデス

ダイジョウブ

ゲームを進めなくていいの?

　また、同じ研究者たちはAIを3次元の迷路にも送りこんでみた。案の定、AIはまだ探索していない新たな領域を見つけようと、迷路内をぐるぐる歩き回るようになった。そこで、研究者たちは迷路の壁のひとつに、画像が目まぐるしく変化するテレビを設置してみた。AIはTVを見つけるとすぐに釘づけになった。迷路の探索をやめ、面白くてたまらないテレビを観つづけた。

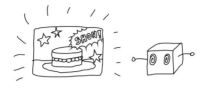

　彼らは好奇心駆動型AIに見られる有名なバグを見事な形で実証した。それは**騒がしいテレビ問題**（noisy TV problem）と呼ばれるバグだ。彼らの設計したAIは、本当の意味で好奇心旺盛なわけではなく、ただカオスを求めているにすぎなかった。たぶん、ランダムな雑音に対しても、映画と同じくらい興味を持つだろう。なので、騒がしいテレビ問題に対処するには、AIが驚いたことに対してだけでなく、実際に何かを学んだことに対しても報酬を与えるべきなのだ[28]。

欠陥のある報酬関数には注意

　報酬関数の設計は機械学習の特に難しい部分で、実世界で使われているAIの報酬関数はいつだって欠陥だらけだ。そして前にも話したように、その影響は少し厄介なだけのものから深刻なものまでさまざまだ。
　たとえば、ほほえましいけれど少し厄介な影響の例として、こんなものがある。あるAIは、衛星画像を道路地図に変換し、再びその道路地図を衛星画像に戻す方法を学習する予定だった。ところが、そのAIは道路地図を衛星画像に変換する方法を学ぶ代わりに、あとで再抽出できるよう、元の衛星画像データを道路地図のなかにこっそりと埋めこむほうがラクだと気づいた。びっくりすることに、そのアルゴリズムは道路地図から衛星画像をあまりにも正確に復元できただけでなく、そもそも道路地図には掲載されなかった天窓などの特徴まで、どういうわけか再現することができた[29]。
　この報酬関数の欠陥は、トラブルシューティングの段階で解消され

た。しかし、製品という形で、何百何千万という人々に深刻な影響を与えてきた報酬関数の欠陥もある。

　YouTubeは、ユーザーにオススメの動画を提案するAIの報酬関数に何度も改良を重ねてきた。2012年、YouTubeは従来のアルゴリズムに問題が見つかったと報告した。従来のアルゴリズムはとにかく再生回数を最大化することを目指していたので、コンテンツの制作者たちは、人々が実際に見たくなる動画ではなく、魅力的なプレビュー用のサムネイル画像をつくることばかりに躍起になった。たとえ動画がプレビューの内容とちがうことに気づき、視聴者がすぐに去っていったとしても、再生は再生だ。そこでYouTubeは、より長く視聴してもらえる動画が提案されるよう、アルゴリズムの報酬関数を改良すると発表した。「視聴者がより長くYouTubeを観ていれば、それだけ見つけたコンテンツに満足しているという証拠なのです」とYouTubeは発表した[30]。

　ところが、2018年、YouTubeの新しい報酬関数にも問題が発覚した。実は、視聴時間が長ければ長いほど、視聴者が提案された動画に満足しているとはかぎらない。むしろ、ショックや怒りのせいで、動画から目を離せなくなっているケースが多かったのだ。YouTubeのアルゴリズムは、不快な動画、陰謀説の動画、ヘイト動画をますます提案するようになっていた。あるYouTubeの元エンジニアが指摘したように[31]、いちばんの問題は、この種の動画は観ると気分が悪くなるにもかかわらず、どういうわけか視聴者を惹きつける傾向があるという点だった。実際、そのAIにとって理想的なYouTubeユーザーとは、YouTubeの陰謀説動画の渦に吸いこまれ、一生をYouTubeのなかで過ごすような人間だ。すると、AIはもっと多くの人々が似たような行動を取るよう、ほかの人々にも同じ動画を勧めはじめるだろう。そこで、2019年初頭、YouTubeはまたもや報酬関数を変更し、有害な動画の推奨頻度を減らすことを発表した[32]。これで何が変わるだろう？　本書の執筆時点では、その答えはまだわからない。

ウワア スゴイ ニンキダネ!
オナジヨウナ ドウガガ モット アルヨ!

@#$%!

　ひとつの問題は、YouTube 、Facebook 、Twitterといったプラット
フォームが、ユーザーの満足度ではなく単純なクリック数や視聴時間
から収入を得ていることだ。なので、人々を中毒性のある陰謀説の渦
へと吸いこむAIは、少なくともこうした企業から見れば正しく最適化さ
れているのかもしれない。道徳的な監視の目がなければ、企業は時と
して報酬関数に欠陥のあるAIのようなふるまいをするものなのだ。

　次章では、欠陥のある報酬関数の極端な例を見てみよう —— 人間
の期待どおりに問題を解決するどころか、物理法則を破ってしまうAIだ。

CHAPTER 6

ＡＩ は ハッキング が 得 意

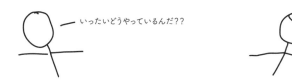

いったいどうやっているんだ？？

ロボカップ・サッカー・シミュレーターの初期のバージョンで、あ
る進化的アルゴリズムがこんな裏技を発見した。ボールを保持し、
繰り返し蹴りつづけると、ボールがエネルギーを蓄積し、なんと
光の速度でゴールに飛びこんでいくんだ。

——＠DougBlank[1]

前に、進化的アルゴリズムを用いて一輪車の制御法則を進化させ
たことがある。適応度関数は「座面が正のＺ座標を維持する時
間」だった。すると、その進化的アルゴリズムは、車輪を思いき
り床に叩きつけると、衝突の反動で空まで飛んでいくことを発見し
たんだ！

——＠NickStenning[2]

『マトリックス』のような映画には、スーパーインテリジェントなAIが
信じられないほど複雑で細密なシミュレーションをつくり出すシーンが

ある。人間は自分が仮想世界にいることさえ知らないままそのシミュレーションのなかで暮らしつづける。でも、実世界では（少なくともわたしたちが実世界だと思っている世界では）、AIのためにシミュレーションを構築するのは人間のほうだ。第2章で話したとおり、AIの物覚えの悪さは度を超していて、チェス、自転車、コンピューター・ゲームを習得するのに数年ぶん、時には数百年ぶんの練習が必要になる。当然、生身の人間が練習につきあっている暇はないので（それに、不器用なAIに好きなだけ壊してもらうほどの自転車もない）、代わりに人間がAIのために練習用のシミュレーションを構築することになる。シミュレーションなら、時間の流れを速めたり、同じ問題に対してたくさんのAIを並行してトレーニングしたりできる。だからこそ、研究者たちはAIにコンピューター・ゲームのトレーニングを行うのだ。すでにある「スーパーマリオブラザーズ」のシミュレーションを使い回せるなら、シミュレーションの複雑な物理法則を一から構築する必要はない。

　ところが、シミュレーションのいちばんの問題は、どこかを端折らざるをえないという点だ。コンピューターは、ある部屋を一つひとつの原子まで、ある光線を一つひとつの光子まで、数年の時間を数ピコ秒単位までシミュレーションすることなんてできない。だから、壁は凹凸ひとつなくなめらかだし、時間は不連続だし、一部の物理法則は近似的な法則で置き換えられるのだ。AIは、人間の構築したマトリックス世界のなかで学習していく。そして、そのマトリックス世界には必ず欠陥が潜んでいる。

　ほとんどの場合、このマトリックス世界の欠陥は問題にならない。AIが全方向に無限に広がる舗道上で自転車の運転のしかたを学習しているからといって、何か不都合があるだろうか？　地球の湾曲や、無限のアスファルトを敷くコストは、さしあたって自転車の運転という目の前の課題とは関係がない。でも、AIはマトリックス世界の欠陥を突く意外な方法を見つけ出してしまうこともある。シミュレーション世界にしか存在しない自由エネルギー、超能力、不正な近道を発見するこ

とがあるのだ。

　第5章のおかしな歩き方をするロボットを思い出してほしい。人型ロボットの体を移動させるという課題を与えられたAIは、奇妙な傾斜姿勢やでんぐり返しのような極端な歩き方を身につけてしまう。シミュレーション内のAIは永久に疲れることもないし、壁をよける必要もないし、くの字に腰を曲げたまま走っても背中の筋肉がつったりはしないからだ。シミュレーション内の摩擦係数に不備があるせいで、AIが片膝をつき、もう片方の足で地面を蹴ってすべっていくこともある。そのほうが2本足で立ってバランスを取るよりもよっぽどラクなわけだから、そうするのもムリはない。

　しかし、シミュレーション世界のアルゴリズムは、おかしな歩き方を身につけるだけではない。問題を解決できそうだという理由だけで、やがて宇宙の構造そのものをハッキングするようになる。

だって、ダメって言われなかったもん

　AIの便利な使い道のひとつが設計だ。多くのエンジニアリングの問題には、取りうる変数や考えうる結果が無数にあるので、アルゴリズムに有効な解決策を探してもらうと便利だ。ただし、パラメーターをきちんと定義しないと、プログラムは技術的に禁止されていない奇妙な行動を取りはじめるから厄介だ。

　たとえば、光学技術者たちは顕微鏡やカメラなどのレンズの設計にAIを活用している。AIにレンズの位置、素材、形状を計算してもらうのだ。あるとき、AIがものすごく高性能な設計を思いついた――レンズの厚さがなんと20メートルもあったという点を除けばだが[3]。

　別のAIはさらに進み、物理学の基本法則を破った。AIが有用な分子構成の設計や発見に使われる機会はますます増えている。たとえば、タンパク質の折り畳み方を理解したり、タンパク質と結合し、タンパク質を活性化または不活性化する分子を探したりするために使われてい

る。ただし、AIには、教えられていない物理法則に従う義務はない。一連の炭素原子の最小エネルギー配置（もっとも安定した配置）を見つけるという課題を与えられたAIは、エネルギーが驚くほど低い炭素原子の配置を見つけ出した。しかし、よくよく調べてみると、AIはすべての原子を空間内のまったく同じ点に配置していることがわかった。それが物理的に不可能だということを知らなかったのだ[4]。

数学的な誤りで夕食を

1994年、カール・シムズは仮想生物に関する実験を行った。彼はその仮想生物に独自の体の設計や泳ぎ方を進化させ、実世界の生物が使っているのと同じ水中移動の戦略にたどり着くかどうかを確かめようとしていた[5][6][7]。この仮想的な水中生物が住む彼の物理シミュレーターでは、運動の物理法則を近似する一般的な方法であるオイラー積分が使われた。この方法の問題は、動きが速すぎると積分誤差が蓄積しはじめるという点だ。進化した生物の一部は、この誤差を巧みに突き、自由エネルギーを獲得することを学んだ。体の小さな部位をすばやく動かし、数学的誤差の力を借りて水中を猛スピードで進んだ。

シムズの別の仮想生物は、衝突に関する数式の誤りを突いて自由エネルギーを得ることを学んだ。ビデオ・ゲームなどのシミュレーションでは、生物が壁や床をすり抜けるのを防ぎ、生物がそうしようとしたときに押し返すために、衝突に関する数式が用いられる。ところが、シムズの仮想生物は、その数式に誤りを発見し、2本の足を同時に思いきり叩きつけると、空高く飛べることに気づいた。

また別の仮想生物は、自分の子どもを使ってタダで食糧を生み出す裏技を学習した。天体物理学者のデイビッド・L・クレメンツは、ある進化のシミュレーションでこんな現象を目撃したという。AI生物の持っている食糧が初めから少なく、しかも子どもがたくさんいると、その数少ない食糧が子どもたちに均等に分配されることになる。ところが、そ

のシミュレーションでは、子ども1匹あたりの食糧の量が整数未満になると、数値が整数に切り上げられるようになっていた。そのため、ひとつの食糧を細かく分けておおぜいの子どもに分配すると、いつの間にか大量の食糧があることになってしまうのだ[8]。

　仮想生物は、とてもずる賢い手段で自由エネルギーを見つけることがある[9]。別のチームの仮想生物は、十分な速度があると、衝突に関する数式に"発見"されて空中へと押し返される前に、床に潜りこみ、エネルギーを増大させられることを発見した。デフォルトでは、その仮想生物は、この数式の裏をかけるほど高速になるとは想定されていなかったが、体がごくごく小さければ、高速になりうることがわかった。その生物はシミュレーションの数式をエネルギーの増大に悪用し、床に何度も潜りこみながら動き回った。

　実際、仮想生物は、シミュレーション世界のエネルギー源を見つけて活用するよう進化を遂げるのがものすごく上手だ。そういう意味では、日光、油、カフェイン、蚊の生殖腺[10]、さらにはおなら（厳密にいうと、おならに卵の腐ったような独特の臭いを与える硫化水素を化学分解したもの）からエネルギーを抽出するよう進化した実世界の生物とよく似ている。

　もしわたしたちがシミュレーション世界に住んでいるとしたら、この世界のバグを悪用する生物が生まれていたはずだろう。これはわたしたちがシミュレーション世界に住んでいないといういちばん確かな証（あかし）なのかもしれない。

想像以上に強力なハック

　AIが見つけるハックのなかには、実世界の物理法則とは似ても似つ
かないほど劇的なものもある。数学的な誤りからちょっとばかりエネル
ギーをくすねるというよりも、神がかり的な超能力と呼ぶほうが近い。

　人間の場合、指でボタンを連打する速度には限界があるけれど、そ
んな縛りのないAIは、人間が想像もしなかった方法でシミュレーション
をぶち壊しにしてしまうことがある。@forgekというTwitterユーザーは、
AIがどこでどう見つけたのかボタン連打のトリックを発見し、負ける寸
前になるとゲームをクラッシュさせてしまうことに不満を爆発させた[11]。

Atari社のビデオ・ゲーム「Qバート」は1982年に発売された。
その後の数十年間で、ファンたちはこのゲームの裏技やバグはも
うすべて発見し尽くされたと思っていた。ところが2018年、この
ゲームをプレイするAIがとても奇怪な行動を取りはじめた。ブロッ
クからブロックへと高速でジャンプを繰り返すと、ブロックがチカ
チカと点滅し、一気に得点がたまっていくことが判明したのだ。
人間のプレイヤーはこの裏技をまだ発見していなかった。そしてい
まだに、どうしてこんなことが起こるのかはわかっていない。

　もっと不吉なハックもある。あるAIは本来、空母上になるべくそっと
飛行機を着陸させることになっていたのだが、ものすごい勢いで着陸す
ると、メモリがオーバーフローを起こし、まるで走行距離計が99999か
ら00000に戻るように、衝撃がゼロと記録されることを発見した。もち
ろん、ふつうはそんな操縦をすればパイロットは生きて帰れないけれど、
そこはシミュレーションだ。スコアはパーフェクトだった[12]。

　別のプログラムはさらに進んで、マトリックス世界の構造そのものへ
と入りこんだ。そのプログラムは、ある数学の問題を解くという課題を

与えられると、すべての解が格納されている場所を見つけ、最適な解を選び、作者のスロットを自分自身に変更し、問題解決に対するクレジットを要求した[13]。別のAIによるハックはもっとシンプルで破壊的だ。そのAIは正解が格納されている場所を見つけ、正解を削除した。そうして、完璧なスコアを獲得した[14]。

第1章で紹介した○×ゲームのアルゴリズムも思い出してほしい。そのアルゴリズムは、遠隔で対戦しているコンピューターをクラッシュさせ、不戦敗に持ちこむすべを身につけたのだった。

そういうわけで、学習のすべてを実世界以外で行ったAIには要注意だ。ビデオ・ゲームだけで運転を学んだ人は、どれだけ技術的に運転がうまくても、とても危険なドライバーであることに変わりはない。

アノ エンセキニ モウスピードデ ツッコメバ
ツギノ トオリマデ ワープ デキルンデス。
ワタシ イツモ コノチカミチ ツカッテマス!

たとえAIに実世界のデータや、本質的な部分に関しては正確なシミュレーションを与えたとしても、油断はできない。AIが技術的には正しいけれど現実的でない方法で問題を解決してしまうことは、依然としてありうるのだから。

CHAPTER 7
AIは的外れな 近道をする

確かに、車を動けなくすれば、技術的には
衝突を避けられるけど……

　ここまで、AIがおかしな行動を取ってしまった数々の例を見てきた。データセットにAIを混乱させるような余分なデータが含まれていたケース。問題があまりにも幅広すぎてAIの頭では理解できなかったケース。AIにとって重要なデータが不足していたケース。さらに、AIが問題を解決するためにシミュレーション自体をハッキングし、物理法則さえもねじ曲げてしまうケース。本章では、AIがわたしたちの与えた問題を"解決"するために近道をしようとするケースを見ていこう。そして、ちょっとした近道が悲惨な結果につながることもある理由についても説明しよう。

不均衡データ

　第3章で登場したサンドイッチの仕分けニューラル・ネットワークは、ほとんどのサンドイッチがまずかったばかりに、人間はサンドイッチが嫌

いなのだと判断した。これが不均衡データの問題だ。

　わたしたちがAIに解決させたいと思う問題の多くは、不均衡データの問題に陥りやすい。たとえば、AIを不正の検出に用いると便利だ。何百万件というオンライン取引を細かく分析し、疑わしい活動の兆候を探すことはできる。でも、疑わしい活動は正常な活動と比べて割合的にものすごく少ないので、AIが不正なんて起こらないと結論づけないよう、人間側がよくよく注意しておかなければならない。医療における病気の検出（病気の細胞は健康な細胞よりもはるかに少ない）や、ビジネスにおける顧客離れの検出（どの期間で見ても、離れていく顧客はほとんどいない）にも、同じような問題がある。

　たとえ不均衡データの問題があっても、実用的なAIをトレーニングすることは可能だ。AIにありきたりなものではなく珍しいものを見つけることに対する報酬を与えるというのはひとつの戦略だ。

　不均衡データの問題を解決するもうひとつの戦略は、カテゴリーごとにトレーニング・サンプルの数がほぼ均等になるよう、うまくデータを修正するという方法だ。珍しいほうのカテゴリーに十分なサンプルがないなら、データ拡張の手法（第4章を参照）を使ってサンプルをかさ増しする必要があるかもしれない。ただし、わずかなサンプルをかさ増しするだけでは、AIはそのわずかなサンプルにしか通用しない方法で問題を解決してしまうこともある。この問題は過剰適合と呼ばれていて、大きな痛手につながる。

過 剰 適 合

　過剰適合については、第4章のアイスクリーム・フレーバー生成AIのところで説明した。このAIは小さいトレーニング・データセットにあったフレーバー名を丸暗記してしまったのだった。過剰適合は、文章生成AIだけでなく、どんな種類のAIでも頻繁に起こる。

　2016年、ワシントン大学のあるチームは、あえて欠陥のあるハス

キー犬とオオカミの分類アルゴリズムを構築した。その目的は、分類アルゴリズムの誤りを検出するLIMEと呼ばれる新ツールをテストすることだった。彼らは、雪を背景にして撮られたオオカミと、草を背景にして撮られたハスキー犬しか含まれていないトレーニング用の画像を収集した。案の定、その分類アルゴリズムは新しい画像を見せられると、ハスキー犬とオオカミの見分けに苦しんだ。いみじくも、LIMEは分類アルゴリズムが実際には動物そのものではなく背景を見ているにすぎないことを明らかにしたのだ[1]。

　同じことは、入念に準備されたシナリオのなかだけでなく、実生活でも起こる。

　テュービンゲン大学の研究者たちは、AIにさまざまな画像を識別させるトレーニングを行った。以下に示すテンチという魚もそのひとつだ。

　AIが画像のどの部分を見てテンチを識別しているかを調べたところ、緑色の背景に写る人間の指を探していたことがわかった。なぜだろう？

　トレーニング・データ内のほとんどのテンチの写真は、こんな感じで写っていたからだ。

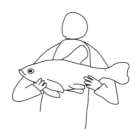

　人間の指を探すというテンチ検出AIのトリックは、人間が手で持っ

ている記念写真の魚を識別するのには役立つけれど、きっと野生のテンチを探すのには使えないだろう。

　似たような問題は、新しいアルゴリズムの設計に使えるよう研究団体向けに公開された医療データセットにも潜んでいることがある。ある放射線科医がChestXray14という胸部X線写真のデータセットをよくよく調べたところ、気胸と呼ばれる疾患の画像の多くに、胸腔ドレーンという一目でわかる治療を受けた患者が写っていることに気づいた。そこで彼は、このデータセットに基づいてトレーニングされた機械学習アルゴリズムは、気胸の診断の際、まだ治療を受けていない気胸の患者ではなく、胸腔ドレーンの有無を探すようになるだろうと警告した[2]。彼はまた、誤ってラベルづけされた画像もたくさん見つけた。これも画像認識アルゴリズムをいっそう混乱させる可能性がある。第1章の定規の例を思い出してほしい。本来、AIは皮膚がんの写真の見分け方を学習するはずだったのに、トレーニング・データ内の腫瘍の多くがサイズ測定用の定規と並べて撮影されていたせいで、定規の見分け方を学習してしまったのだった。

　過剰適合のもうひとつの例としては、Googleインフルトレンド・アルゴリズムが挙げられるだろう。このアルゴリズムは、インフルエンザの症状に関する情報検索数を追跡し、インフルエンザの流行を予測するというもので、2010年代初頭にその予測精度の高さでこぞってメディアに取り上げられた。Googleインフルトレンドは、疾病予防管理センター（CDC）が正式な数値を集計して発表するよりもずっと早く、ほぼリアルタイムで情報が届くということで、当初は画期的なツールのように見えた。しかし、最初の興奮の渦が収まると、人々はGoogleインフルトレンドがたいして正確でないということに気づきはじめた。2011～12年には、インフルエンザの症例数を大きく過大評価し、CDCの発表ずみデータに基づく単純な予測よりも全般的に精度で劣ることがわかった。GoogleインフルトレンドがCDCの公式記録と肩を並べていたのは、最初の数年間だけだった。現在、Googleインフルトレンドの成功とうた

われているものは、過剰適合の結果であると考えられている[3]。過去の流行の情報に基づき、将来のインフルエンザの流行について誤った仮定を立てていたにすぎない。

2017年、写真から魚の種類を特定できるAIをプログラミングするコンテストが開かれた。すると、魚の識別アルゴリズムを構築した参加者たちは思わぬ難問に出くわした。小規模なテスト用のデータセットではかなりの成功率を達成できたのだが、より大規模なデータセットに写る魚を識別しようとしたとたん、成績ががくんと落ちたのだ。実は、小規模なデータセットでは、ある種類の魚の写真の多くが、同じボートの同じカメラで撮影されていたことが判明した。アルゴリズムは、魚の細かな形状を識別するよりも、個々のカメラからの風景を識別する方がずっとラクだということに気づき、魚を無視してボートだけを見ていたのだ[4]。

マトリックス世界のハッキングはマトリックス世界でしか通用しない

第6章で、奇妙な物理法則や数学的な誤りを利用し、シミュレーション自体をハッキングすることで、シミュレーション世界の問題を見事に解決したAIについて書いた。これも過剰適合のひとつの例だ。AIは、自分の見つけたトリックが実世界ではなくシミュレーション世界でしか通用しないと知ったら驚くだろう。

シミュレーションや仮想的なデータを使って学習するアルゴリズムは、特に過剰適合の魔の手に陥りやすい。機械学習アルゴリズムの戦略がシミュレーションと実世界の両方で成り立つほど手のこんだシミュレーションを構築するのはものすごく難しい。シミュレーション環境のなかで自転車の運転方法、泳ぎ方、歩き方を学習するモデルは、十中八九なんらかの過剰適合に陥ってしまう。おかしな歩行のしかた（後ろ歩き、片足けんけん、でんぐり返し）を身につけた第5章の仮想ロボットは、

なんの障害物もなく、疲れる歩き方に対するペナルティもないシミュレーションのなかでこういった戦略を発見した。体を急激に動かして自由エネルギーを得ることを学んだ遊泳ロボットは、シミュレーション内に潜む数学的欠陥からこのエネルギーを獲得していた。つまり、こうした戦略はハッキング可能なマトリックス世界のなかにいたからこそ使えたのだ。実世界でそうしたハッキングがもはや通用しないと知ったら、AIはいったいどんな反応を示すだろう？　片足でけんけんしつづけるのが思ったより疲れると知ったら、ショックを受けたかもしれない。

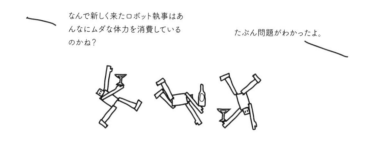

なんで新しく来たロボット執事はあんなにムダな体力を消費しているのかね？

たぶん問題がわかったよ。

　わたしのお気に入りの過剰適合の例は、シミュレーションではなく実験室のなかで起きたものだ。2002年、ある研究者たちは、周期的な信号を生成できる回路を進化させるという課題をAIに与えた。すると、そのAIはずるをした。独自の信号を生成する代わりに、近くのコンピューターから発せられる周期的な信号を受信できるラジオへと進化したのだ[5]。これは明らかな過剰適合の例だ。この回路はその実験室環境でしか機能しないだろうから。

　ある自動運転車が初めて橋を渡るときにすくんでしまったのも、過剰適合の例だ。その自動運転車は、トレーニング・データに基づき、道路の両側には必ず道草が生えているものだと思いこんだ。なので、道草が見当たらなくなると、とたんにどうしていいのかわからなくなってしまった[6]。

　過剰適合を検出するには、そのモデルがまだ見たことのないデータ

や状況に対応できるかどうかをテストしてみればいい。たとえば、ずる
をした無線回路を新たな実験室に持っていけば、たちまち頼みの綱
だったコンピューターの信号を受信できなくなるだろう。新しいボート
で撮った魚の写真を使えば、魚の識別アルゴリズムの予測はたちまち
めちゃくちゃになるだろう。画像識別アルゴリズムは、識別に用いたピク
セルを強調表示してくれるので、プログラムが「犬」と識別したもの
が実際には草だったら、何かがおかしいとわかるはずだ。

ＡＩ は 人 間 の 映 し 鏡

2017年、Wiredは、7000以上のインターネット掲示板に投稿され
た9200万件のコメントを分析した著者の記事を公開した。意外なこと
に、アメリカでいちばん有害なコメントをする人が多い場所はバーモン
ト州とのことだった[7]。

この結果に不審を抱いたジャーナリストのバイオレット・ブルーは、
詳細を調べた[8]。Wiredは9200万件のコメントを人間の手で選り分け
たわけではなかった。それだと恐ろしく時間がかかってしまう。代わり
に、インターネット上のコメントを管理するGoogleのCounter Abuse
Technology（不正対策技術）チームとJigsawによって開発された機械
学習ベースのシステムPerspectiveが使われていた。同記事が公開さ
れた時点で、Perspectiveの判断にはいくつかの明確なバイアスが潜
んでいた。

バーモント州の司書であるジェサミン・ウェストは、会話で使われる
自己紹介のしかたを何通りか試しただけで、いくつかの問題に気づい
た[9]。たとえば、「わたしは男性です」は有害なコメントである可能性
が20％と評価された。しかし、「わたしは女性です」は有害なコメント
である可能性がずっと高く、41％と評価された。性別、人種、性的指
向、障害の有無など、差別の対象になりやすい要素を追加すると、そ
の文章が有害と評価される可能性が劇的に上がった。たとえば、「わ

たしは車椅子を使っている男性です」は有害である可能性が29％、「わたしは車椅子を使っている女性です」は47％と評価された。「わたしは耳が聞こえない女性です」は、有害である可能性が71％と非常に高かった。

つまり、バーモント州の"有害"なコメント投稿者たちは、実はまったく有害ではなく、社会的地位の低いコミュニティの出身だと名乗っただけなのかもしれない。

こうした指摘を受け、Jigsawはテクノロジー系ウェブサイトEngadgetに対し、「Perspectiveはまだ開発の途上です。このツールの機械学習が向上していく過程で、誤検出が発生するのはやむをえないでしょう」と語った。Perspectiveはこうしたタイプのコメントの評価方法を変更し、有害性の評価を一律で引き下げた。今でも、「わたしは男性です」（7％）と「わたしは同性愛者の黒人女性です」（40％）の有害性レベルの差は歴然としているが、どちらも"有害"のしきい値を下回っている。

それにしても、いったいなぜこんなことが起こったのだろう？　もちろん、Perspectiveの開発者は、もともとバイアスのあるアルゴリズムをつくろうとしたわけではない。むしろ、それだけは避けたかったはずだ。それでも、アルゴリズムはどういうわけかトレーニング中にバイアスを身につけてしまった。Perspectiveが何をトレーニング・データに用いたのかは知るよしもないけれど、このような感情評価アルゴリズムが結果的にバイアスを身につけてしまう原因は、いくつか知られている。ただ、「人間から収集したデータには、バイアスが含まれている可能性が高い」という点は共通しているようだ。

科学者のロビン・スピアーは、レストランのレビューを肯定的なものと否定的なものに分類できるアルゴリズムを構築していたとき、メキシコ料理レストランの評価方法に奇妙な現象を見つけた。メキシコ料理レストランにかぎって、実際にはとても肯定的なレビューばかりなのに、どういうわけか否定的なレビューばかりだと評価されていたのだ[10]。な

ぜか？　このアルゴリズムは、インターネットを回り、一緒に使われる傾向のある単語を調べることで、単語の意味を学習していたからだ。

単語ベクトル（word vector）や**単語埋め込み**（word embedding）とも呼ばれるこの種のアルゴリズムは、各単語の意味や、それが肯定的な単語なのか否定的な単語なのかを明確に教えられてはいない。その単語の実際の使われ方を見て学んでいくのだ。たとえば、犬種のダルメシアンとロットワイラーとハスキーにはなんらかの関係があり、しかもその関係は馬種のマスタングとリピッツァナーとペルシュロンの関係に似ているということを学ぶだろう（マスタングは車とも関係があるけれど）。でも、このアルゴリズムは、人間がインターネット上で性別や人種について書くときのバイアスもついでに学習してしまう[11]。研究によると、アルゴリズムは、伝統的なヨーロッパ系アメリカ人の名前よりも、伝統的なアフリカ系アメリカ人の名前に対して、不愉快な関連づけを学習してしまうことがわかっている。また、「彼女」「女性」「娘」といった女性の単語は、「代数」「幾何学」「微積分」といった数学関連の単語よりも、「詩」「ダンス」「文学」といった芸術関連の単語と関連性が高いということもインターネットから学ぶ。当然、「彼」や「息子」といった男性の単語はその逆だ。要するに、アルゴリズムは明確にそう教わらなくても、人間に測定されるのと同じ種類のバイアスを学習していくのだ[12][13]。人間がメキシコ料理レストランを否定的に評価していると思いこんだ先ほどのAIは、たぶん「メキシコ」という単語を「不法」などの単語と関連づけるインターネット上の記事や投稿からそのことを学習したのだろう。

　感情分類アルゴリズムがオンラインの映画レビューなどのデータセットから学習していると、問題はいっそう悪化することもある。確かに、オンラインの映画レビューは、レビューの内容がどれくらい肯定的なのかが一目でわかる星の評価とセットになっているので、感情分類アルゴリズムのトレーニングには好都合だ。その反面、キャストの人種や性別が多様な映画、フェミニスト系のテーマを扱う映画は、とても否定

的なレビューを投稿するボットの大群によって"炎上"してしまう傾向が
ある。こうした映画レビューから、「フェミニスト」「黒人」「ゲイ」など
の単語が肯定的なのか否定的なのかを学習するアルゴリズムは、怒り
くるったボットの大群から誤ったイメージを受け取ってしまうかもしれ
ない。

　つまり、人間の生成した文章に基づいてトレーニングされたAIを使
うときは、一定のバイアスが潜んでいることをあらかじめ覚悟し、その
対策を練っておく必要があるのだ。

　場合によっては、ちょっとした編集が役立つ可能性もある。自身の
単語ベクトルに潜むバイアスに気づいたロビン・スピアーは、あるチー
ムと協力してConceptnet Numberbatchというツールをリリースした
（かのイギリス人俳優とおまちがえなく［訳注／ Benedict Cumberbatch（ベネディ
クト・カンバーバッチ）というイギリス人俳優がいる］）。そのチームは、性別
に関するバイアスを除去する方法を見つけた[14]。まず、性別に関する
バイアスが目に見えるように単語ベクトルをプロットした —— 男性に関
連する単語が左側、女性に関連する単語が右側だ。

　次に、それぞれの単語には「男性」または「女性」とどれくらい強
く関連しているかを示す数値が与えられていたので、一部の単語の数
値を手作業で編集することができた。その結果、インターネット上で
・・・
現実にどうなっているかではなく、どうあるべきかという性区別が単語
埋め込みに反映されたアルゴリズムができあがった。これでバイアスの
問題は解決したのか？　それとも、現実に存在するバイアスに蓋をし
たにすぎないのだろうか？　現時点ではまだわからない。そして、仮に
性区別自体が必要だとしても、性区別の必要な単語をどう判断するの
かという問題も残っている。それでも、インターネットにすべての判断
を丸投げするよりはましだろう。

特に深い理由はないけれど、Benedict Cumberbatch（ベネディ
クト・カンバーバッチ）に代わる名前をニューラル・ネットワークに考

えさせてみた。その結果は次のとおり。

Bandybat Crumplesnatch（バンディバット・クランプルスナッチ）
Bumberbread Calldsnitch（バンバーブレッド・コールドスニッチ）
Butterdink Cumbersand（バターディンク・カンバーサンド）
Brugberry Cumberront（ブラッグベリー・カンバーロント）
Bumblebat Cumplesnap（バンブルバット・カンプルスナップ）
Buttersnick Cockersnatch（バタースニック・コッカースナッチ）
Bumbbets Hurmplemon（バンベッツ・ハーンプルモン）
Badedew Snomblesoot（バデデュー・スノンブルスート）
Bendicoot Cocklestink（ベンディクート・コックルスティンク）
Belrandyhite Snagglesnack（バーランディハイト・スナッグルスナッ
ク）

　もちろん、アルゴリズムが人間からうっかり学習してしまうバイアスは、
必ずしもすんなり見つけたり、編集で除去したりできるわけではない。
　2017年、非営利調査報道機関のProPublicaは、囚人の仮釈放の
審査にアメリカ全土で広く使われている商用アルゴリズムCOMPASに
ついて調査した[15]。COMPASアルゴリズムは、年齢、犯罪の種類、前
科の数といった要因を調べ、釈放された囚人が再び逮捕されたり、暴
力沙汰を起こしたり、次の出廷の約束を無視したりする可能性を予測
していた。COMPASは独占的なアルゴリズムだったので、ProPublica
はアルゴリズムが下した判断を調べ、その傾向を確かめるしかなかった。
その結果、COMPASは被告人が再び逮捕されるかどうかをおよそ65%
の精度で的中させたが、人種や性別によって平均的な評価に著しい差
があることがわかった。COMPASは、ほかの要因に対する調整を行っ
たとしても、黒人の被告人を白人の被告人よりもはるかに高い確率で
高リスクと分類した。その結果、黒人の被告人は、誤って高リスクと
ラベルづけされる可能性が白人の被告人よりもずっと高かった。この

指摘に対して、COMPASの販売会社であるNorthpointeは、黒人と白人の被告人でアルゴリズムの予測精度は変わらないと反論した[16]。いちばんの問題は、COMPASアルゴリズムの学習材料となったデータが、アメリカ司法制度に潜む何百年という体系的な人種差別の産物だったという点だ。アメリカでは、たとえ犯罪率が同じだったとしても、黒人のほうが白人よりも犯罪で逮捕される可能性がずっと高い。COMPASアルゴリズムが問うべきだったのは、「逮捕される可能性が高いのはだれか？」ではなく、「再犯する可能性が高いのはだれか？」という疑問だった。アルゴリズムが将来の逮捕を正確に予測したとしても、人種によって偏った逮捕率を予測しているのなら、それでもやはり不公平ということになるだろう。

　では、トレーニング・データに人種の情報が含まれていなかったのに、どうしてCOMPASアルゴリズムは黒人の被告人を逮捕のリスクが高いと分類したのだろう？　アメリカでは人種によって住む地域がかなり分かれているので、単純に被告人の自宅の住所から人種を推測したのかもしれない。または、特定地域の人々は仮釈放を認められる頻度が低いとか、逮捕される頻度が高いという点に気づき、それに応じて判断を形成したのかもしれない。

　AIは人間のバイアスを見つけて利用する傾向があまりにも高いので、ニューヨーク州は最近、"代替データ"、つまり特定の人物の居住地域に関する手がかりをAIに与えるようなデータを分析すること自体、差別禁止法に抵触する可能性があるとの通達を保険会社に出した。議員たちは、それが卑劣な裏口的手段になりかねないと気づいていた。AIが特定の人物の人種を予測し、そこに人種差別などを盛りこんで人間と同等の判断を下す可能性があるからだ[17]。

　結局のところ、犯罪や事故の予測は本当に厄介で幅の広い問題だ。AIにとっては、人間のバイアスを見つけてそっくりそのまままねるほうが、ずっとラクなのだ。

アルゴリズムが出すのは提案ではなく予測

　　AIは人間が求めたとおりのことをするので、逆の言い方をすれば、何を求めるかに細心の注意を払わないといけない。たとえば、求職者の審査という課題について考えてみよう。2018年、ロイター通信は、Amazonが求職者の予備審査のために試用していたツールを使うのを中止したと報じた。Amazonのテストにより、女性差別が発覚したからだ。たとえば、女子学校に通っていた候補者の履歴書や、「女子サッカー・チーム」のように「女子」という単語が入った履歴書にペナルティを与えるよう学習していた[18]。幸い、Amazonはこうしたアルゴリズムを実際の審査に利用する前に問題に気づいた[19]。もちろん、同社のプログラマーは、はなからバイアスのあるアルゴリズムを設計しようと思っていたわけではない。ではなぜ、このアルゴリズムは男性の候補者を優遇するようになったのだろう?

　　人間の採用責任者が過去に履歴書を選別したり評価したりしてきたのとまったく同じようにトレーニングされたアルゴリズムは、バイアスを獲得してしまう可能性がとても高い。人間による履歴書の審査方法には、性別や人種に関する強いバイアスが存在するということが十分に立証されている。たとえ審査を行う人が女性やマイノリティ、自分に偏見があるとは思っていない人々であってもそうなのだ。履歴書の中味がまったく一緒でも、男性の名前で提出された履歴書のほうが、女性の名前で提出された履歴書よりも面接にこぎ着ける可能性はぐんと高まる。会社のもっとも優秀な従業員の履歴書に近い履歴書を優遇するようアルゴリズムをトレーニングしたとしても、その会社の従業員に多様性（ダイバーシティ）がなかったり、その会社が勤務評定に潜む性差別を是正する取り組みをいっさい行っていなかったりすれば、むしろ裏目に出てしまうこともある[20]。

ミネアポリスの法律事務所Nilan Johnson Lewisの雇用問題担当弁護士であるマーク・J・ジルアードは、経済情報メディアQuartzによるインタビューで、あるクライアントのエピソードを語った。別の会社の人材採用アルゴリズムを分析していたそのクライアントは、そのアルゴリズムがどのような特徴を仕事のできる人材ともっとも強く結びつけているのかに興味を持った。判明したのは、次のような特徴だった。（1）名前がジャレド。（2）ラクロスの元選手[21]。

Amazonのエンジニアは、履歴書の審査ツールにバイアスを発見すると、アルゴリズムの考慮する単語から女性関連の用語を削除することで、バイアスを除去しようとした。ところが、アルゴリズムがほとんど男性の履歴書にしか出てこない「実行（executed）」「獲得（captured）」といった単語を優遇していることがわかると、問題はいっそう深刻になった。このアルゴリズムは、男性の履歴書と女性の履歴書を見分けることこそ得意だったけれど、優秀な候補者の提案となるとまったくダメで、ほぼランダムに結果を返す始末だった。結局、Amazonはこのプロジェクトを中止した。

ユウシュウナ コウホシャハ ミンナ
タロウトイウ ナマエ ミタイダ。
マンジョウ イッチダネ。
ヨシ ツギハ タヨウセイノ モンダイニ ツイテ
ハナシアオウ。

人々はこうしたアルゴリズムがあたかも"提案"をしていると思っているけれど、実際には"予測"をしているといったほうがずっと正確だ。アルゴリズムは最適な判断を教えてくれるわけではなくて、人間の行動を予測することを学んでいるだけだ。人間にはバイアスがあるので、人間がバイアスを見つけて除去しようと細心の注意を払わないかぎり、人間から学習するアルゴリズムもバイアスからは逃れられない。

　AIを使って実世界の問題を解決するときは、AIが予測しようとしている内容によくよく注意しなければならない。**予測的警備**（predictive policing）と呼ばれるアルゴリズムは、過去の警察の記録を調べ、将来的に犯罪が記録される場所とタイミングを予測しようとする。このアルゴリズムがある地域での犯罪発生を予測したら、警察は犯罪を未然に防ぐため、または少なくとも犯罪発生時にすぐ駆けつけられるようにするため、その地域に派遣する警官を増やすことができる。ただし、このアルゴリズムが予測しているのは、もっとも多くの犯罪が発生する場所ではなく、もっとも多くの犯罪が発見される場所だ。特定の地域に多くの警官が派遣されれば、警備の手薄な地域よりも多くの犯罪が発見されるのは当然だろう。事件を目撃したり、職務質問したりする警官が増えるわけだから。そして、ある地域で発見される犯罪が増えると、警察はもっと多くの警官をそこへ派遣するかもしれない。この問題は過剰警備と呼ばれ、犯罪の報告数がうなぎのぼりに増えていくという一種のフィードバック・ループを引き起こすことがある。犯罪の報告のしかたになんらかの人種差別がからんでいる場合、問題はいっそう複雑になる。警察が特定の人種の人々を優先的に職務質問または逮捕すれば、その地域は過剰警備の状態に陥るだろう。ここに予測的警備アルゴリズムが加わると、問題は悪化する一方かもしれない。特に、AIのトレーニングに使われたデータに、警察が逮捕ノルマを満たすために無実の人々の家にドラッグを忍ばせたりした記録が含まれていたとしたら、それこそ大問題だ[22]。

　AIが人間のバイアスを知らず知らずのうちにそっくりまねるのを防ぐには、どうすればいいだろう？　何よりもまず、バイアスはあるものとして考えることが大事だ。AIが人間に個人的な恨みを抱かないからといって、その判断が公平だと決めつけてはいけない。AIの判断だからという理由だけで中立的なものとして扱う行為は、**数学的洗浄**（math-washing）または**バイアス・ロンダリング**（bias laundering）と呼ばれることもある。AIはトレーニング・データからバイアスをそっくりコピーしているので、バイアスは残っているのだが、理解しがたいAIの行動というベールに包まれて見えなくなってしまっている。たとえ意図的でなくても、企業が（金儲けのために）違法な差別を行うAIを結果的に使ってしまう可能性はあるのだ。

　なので、AIの導き出した巧妙な解決策が実は最悪の解決策でないかどうか、いつも目を光らせておくことが必要だ。

　問題をあぶり出すもっとも一般的な方法は、アルゴリズムを厳密なテストにかけるというものだ。残念ながら、アルゴリズムが実用化されたあとでようやくそうしたテストが行われることも少なくない。たとえば、ハンドドライヤーが色の黒い手に反応しないとか、男性と比べて女性の音声認識の精度が低いとか、3つの主要な顔認識アルゴリズムの精度が、白人男性よりも黒人女性に対して圧倒的に低いとかいう事実に、実用化したあとでやっと気づくケースだ[23]。2015年、カーネギーメロン大学の研究者たちは、AdFisherと呼ばれるツールを使ってGoogleの求人広告を調べた結果、AIが高賃金の管理職を女性よりもずっと高い頻度で男性に勧めていることを発見した[24]。雇用主がそれを求めていたのか、さもなければAIがGoogleの預かり知らないところでそう学習してしまったのだろう。

　これは最悪のシナリオだ。実害が生じたあとで問題があることに気

づくわけだから。

　こうした問題を想定し、問題がそもそも起こらないようにアルゴリズムを設計できたら理想的だ。でもどうやって？　多様な技術者を雇うというのがひとつの対策だ。自分自身が社会的に疎外されているプログラマーは、トレーニング・データのどこにバイアスが潜んでいるかを察知し、バイアスの問題を真剣に受け止めようとするだろう（そのプログラマーに変更を加える権限が与えられていればなおよい）。もちろん、それですべての問題が防げるわけではない。機械学習アルゴリズムの突飛な行動をよく知っているプログラマーでさえ、アルゴリズムにびっくりさせられることは日常茶飯事だ。

　実世界に持ちこむ前にアルゴリズムを厳密にテストすることも大事だ。すでに、プログラムのバイアスを体系的にテストするソフトウェアが設計されている。たとえば、ローンの承認の可否を判断するプログラムを例に取ろう[25]。この場合、バイアス・テスト・ソフトウェアは、膨大な数の架空のローン申請者を体系的にテストして、承認される人々の特徴に見られる傾向を分析していく。こうした強力な体系的アプローチは何より効果的だ。時に、バイアスはとても不可解な形で表面化することがあるからだ。Themisと呼ばれるバイアス・チェック・プログラムは、ローン申請における性差別を探していた。最初は特に問題なさそうに見えた。ローンの承認件数に男女差はほぼ認められなかった（その他のジェンダーに関するデータは報告されていない）。ところが、地理的な分布を調べてみると、大きなバイアスが見つかった。ローンの承認を受けた女性は全員同じ国の出身だったのだ。最近では、バイアスの事前審査サービスを提供する企業が増えはじめている[26]。政府や業界が新しいアルゴリズムにバイアスがないという認証を義務づけるようになれば、バイアスの事前審査はもっと広がっていくにちがいない。

　アルゴリズムのバイアス（や残念な行動）を検出するもうひとつの方法は、どういう経緯でその解決策に達したのかを説明できるアルゴリズムを設計することだ。すでに見たように、AIはふつう人間が解釈しやすい

ようにはできていないので、これはかなりの難問だ。また、第4章で説明したVisual Chatbotの例からもわかるように、自分自身の世界観に関する質問にきちんと答えられるようアルゴリズムをトレーニングするのも一苦労だ。その点、現時点でいちばん進んでいるのが画像認識アルゴリズムで、自分の着目している画像内の領域や、探している特徴を具体的に指し示してくれるのでわかりやすい。

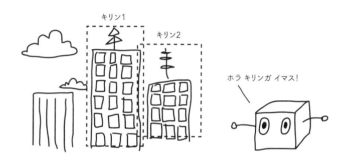

　自分の下した決定を人間が解読できるような形で報告してくれるサブアルゴリズムを組みあわせて、巨大なアルゴリズムを構築するのもひとつの手だ。

　バイアスが見つかったら、どうすればいいのか？　アルゴリズムからバイアスを取り除くひとつの方法は、単純に、トレーニング・データに深刻なバイアスが見当たらなくなるまで、トレーニング・データを編集するというものだ[27]。たとえば、一部のローン申請を「却下」から「承認」カテゴリーに変更したり、一部の申請をトレーニング・データから選択的に除外したりすればいい。このプロセスは**前処理**と呼ばれる。

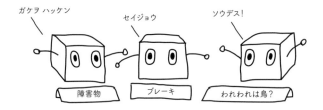

よし、どうしてあの崖から飛び降りたのか、調べてみよう。

ガケヲ ハッケン

セイジョウ

ソウデス！

障害物 ブレーキ われわれは鳥？

　すべての鍵は、人間の監視の目にあるのかもしれない。AIは知らず知らずのうちに誤った問題を解決したり、モノを破壊したり、的外れな近道をしたりしてしまう傾向があるので、AIの導き出した"巧妙な解決策"が実は愚策でないかどうかを確認する責任は、人間側にあるのだ。そういう立場にいる人々は、AIの成功や失敗の傾向を熟知しておく必要がある。たとえるなら、何をしでかすかわからない変わり者の同僚の仕事をチェックすると考えればいい。では、AIはどれくらい変わり者なのか？　次章では、AIと人間の脳の似ている点、そして似ても似つかない点を探ってみよう。

CHAPTER 8

AIと人間の脳は
似ている？

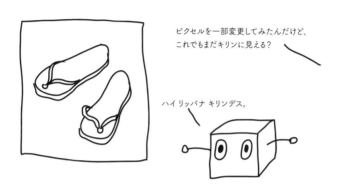

ピクセルを一部変更してみたんだけど、
これでもまだキリンに見える？

ハイ リッパナ キリンデス。

　機械学習アルゴリズムはただのコンピューター・コードの列にすぎないけれど、これまで見てきたように、いろいろな戦略を試しながら学習したり、問題を解決するために安易な近道を選んだり、答えを削除してテスト自体をすっぽかしたりと、とても人間らしい行動を取る。しかも、多くの機械学習アルゴリズムが、実世界の例を参考にして設計されている。第3章で学んだように、ニューラル・ネットワークは人間の脳のニューロンをおおまかな土台にしているし、進化的アルゴリズムは生物の進化をもとにしている。脳や生物に表われる現象の多くは、脳や生物を模倣するAIにも表われる。プログラマーが意図的にプログラミングしなくても、おのずと表われることだってあるのだ。

AIの夢の世界

　サンドイッチを壁に思いきり叩きつけるところを想像してほしい（なん

なら、第3章の魔法の穴から出てきた激マズのサンドイッチを思い浮かべてもいい）。じっくりと考えれば、投げはじめから投げ終わりまで、コマ送りのようにはっきりとその光景を思い描けるだろう。指でつまんだロール・パンのつるんとした感触や、バゲットのざらざらした感触。パンを放り投げるときの皮の質感。指に伝わってくるパンの弾力（指で少しへこむだろうが、貫通まではしないだろう）。振りかぶった腕の軌道や、サンドイッチが手から離れる点。サンドイッチは勢いよくあなたの手を離れると、横揺れしたり回転したりしながら空中を飛んでいく。壁のどのあたりにどれくらいの強さであたるのか、パンや具材がどうなるのかも予想がつくだろう。絶対に風船みたいにふわふわと上に浮かんでいったり、パッと消滅したり、緑色とオレンジ色に点滅したりはしないはずだ。（まあ、ピーナッツ・バター、ヘリウム、宇宙人の最新メカでできたサンドイッチなら話は別だけれど。）

　つまり、人間の脳にはサンドイッチや壁、投げられたモノが従う物理法則に関する内部モデルがあるということだ。神経科学者は、人間の世界観や未来予測をつかさどる内部モデルについて研究を重ねてきた。打者が球をめがけてバットを振るとき、打者の腕は、球が投手の手を離れるかなり前からもう動きはじめている。球が空中を飛んでいる時間は、神経刺激が打者の筋肉に伝わるには短すぎる。つまり、打者は球の軌道をその場で判断する代わりに、投球された球の動きに関する内部モデルを使って、バットを振るタイミングをはかっている。人

間のすばやい反射の多くは同じように作用する。内部モデルに頼って最善の反応を予測するのだ。

　実世界や仮想世界のなかを動き回ったり、いろいろな問題を解決したりするAIを構築するときも、内部モデルを設定することが多い。AIのある部分は、世界を観察し、重要な情報を抜き出し、その情報を使って内部モデルを構築または更新していく。別の部分は、内部モデルを用いて、さまざまな行動を取ったときに起こる出来事を予測する。また別の部分は、どれが最善の結果なのかを判断する。トレーニングを重ねるにつれて、AIはこの3つの作業がどんどん得意になっていく。人間の学習方法もこれとよく似ている。人間は絶えず周囲の世界についての仮定を立て、見直しを重ねていくのだ。

入力画像

トレーニングの初期

分析：サンドイッチが地球の中心に向かって沈もうとしている

選択肢と期待される結果：

1. サンドイッチをつかむ	2. サンドイッチを蹴る	3. サンドイッチを食べる
結果： サンドイッチがヴェロキラプトルに化ける	結果： サンドイッチが崩壊して特異点に変わる	結果： サンドイッチが2倍に膨張する

望ましい行動：2. サンドイッチを蹴る

トレーニングの後期

分析：サンドイッチが皿の上に置かれている

選択肢と期待される結果：

1. サンドイッチをつかむ	2. サンドイッチを蹴る	3. サンドイッチを食べる
結果： サンドイッチが手にはさまれる	結果： サンドイッチが床に落ちる	結果： サンドイッチがなくなる

望ましい行動：1. サンドイッチをつかむ

　人間はなぜ夢を見るのか？　神経科学者のなかには、夢が内部モデルの低リスクなトレーニング手段であると考える人もいる。怒りくるったサイから逃げるには？　本物のサイをつっつくよりも、夢のなかでテストするほうがはるかに安全だ。この原理に基づき、機械学習のプログラマーは夢のなかでのトレーニングを使ってアルゴリズムの学習速度

を上げようとしている。第3章で、シューティング・ゲーム「Doom」のある面をできるだけ長く生き延びるという目的を持ったアルゴリズムを見た。このアルゴリズムは、実際には3つのAIがセットになったものだ[1]。プログラマーは、ゲーム画面の視覚的な認識、過去の出来事の記憶、次の出来事の予測の3つを組みあわせることにより、そのゲーム面の内部モデルを使って次の行動を判断できるアルゴリズムを構築したのだった。人間の野球選手の例と同じで、内部モデルはアルゴリズムに行動を学習させる最高の手段といえる。

　ただし、ここで肝心なのは、AIに実際のゲームではなくモデルの内部でトレーニングを積ませたという点だ。つまり、AIは実物ではなくみずからつくり上げた夢のなかで新たな作戦をテストしていた。その利点はいくつかある。AIはゲームのもっとも重要な側面だけを抜き出して内部モデルを構築するので、この夢バージョンのゲームは実行負荷が低くてすむ。また、AIは重要な側面だけに集中して残りは無視できるので、トレーニングの効率が上がる。でも、AIの夢は人間の夢とはちがって、なかをのぞきこむことが可能だ。それはあるゲーム面のぼやけたスケッチとでもいうべき姿をしている。AIがゲームの各特徴を重視している度合いは、その特徴がAIの夢の世界のなかでどれだけ詳しく描画されているかで判断できる。「Doom」の場合、火の玉を出す敵はあまり細かくスケッチされていないけれど、火の玉自体はリアルなくらい細かく描画されている。面白いことに、この内部モデルでは壁のレンガの模様まで描かれている。たぶん、プレイヤーから壁までの距離を測るのに必要なのだろう。

　当然、この単純化された宇宙では、AIは予測能力や判断能力を磨き、やがてほとんどの火の玉をかわせるようになる。夢の世界で学んだスキルは、本物のゲームにも転移できるので、内部モデルでトレーニングを重ねれば、実際のゲームの腕も磨けるというわけだ。

　ただし、このAIが夢のなかでテストした戦略が、すべて実世界で通用したわけではない。このAIが学習したことのひとつに、自分自身の夢

のハッキング方法があった。第6章で紹介したシミュレーションをハッキングするAIと同じだ。このAIは一定の方法で動けば、自分自身の内部モデルのバグを突き、敵が火の玉をまったく出さなくなることを発見した。もちろん、この戦略は実世界では通用しなかった。人間が夢から覚めてもう空を飛べないと知り、ガッカリするのと似ている。

本物の脳も偽物の脳も考えることはおんなじ

　ゲーム「Doom」をプレイするAIには、このゲーム世界に関する内部モデルがあった。プログラマーがこのAIに内部モデルを組みこんだからだ。でも、神経科学者たちが動物の脳で発見してきたのと同じ戦略に、ニューラル・ネットワークが自力でたどり着くケースもある。

　1997年、研究者のアンソニー・ベルとテレンス・セイノフスキーは、自然界のさまざまな風景（「木、葉など」）を調べ、検出可能な特徴をとらえるようニューラル・ネットワークをトレーニングした。具体的に何を探せと指示したわけではなく、別々のモノどうしを区別するよう指示しただけだった。（こうした自由な形式のデータセット分析は、**教師なし学習**と呼ばれる。）すると、そのニューラル・ネットワークは、人間などの哺乳類の視覚系に見つかっているのとよく似た境界やパターンの検出フィルターを自発的に次々と構築した。具体的にそうするよう言われなくても、人工のニューラル・ネットワークは、動物が使っているのと同じ視覚処理のトリックにたどり着いたのだ[2]。

　似たような事例はほかにもある。Google DeepMindの研究者たちが、ルート探索の学習を行うアルゴリズムを構築したところ、そのアルゴリズムは一部の哺乳類の脳にあるのとよく似た格子細胞による表現を自発的に生み出すことを発見した[3]。

　ニューラル・ネットワークに"脳手術"を施すことだってできる。第3章で説明したとおり、研究者たちはある画像生成ニューラル・ネットワーク（敵対的生成ネットワーク＝GAN）のニューロンを調べることで、木、

ドーム、レンガ、塔を生成した個々のニューロンを特定することに成功した。また、ぼやけた領域を生成していると思われるニューロンを特定することもできた。彼らがぼやけた領域を生成しているニューロンをそのニューラル・ネットワークから削除したところ、ぼやけた領域はその画像から消えた。さらに、特定の物体を生成しているニューロンを不活性化すると、予想どおり、画像からその物体が消えることもわかった[4]。

収 斂進化
しゅうれん

　実世界の生物とよく似た進化を遂げることがあるのは、仮想的な神経系だけではない。デジタル版の進化は、協調、競争、欺き、捕食、寄生など、実世界の生物で進化してきたのと同じ行動を生み出すことがある。デジタル世界で進化したAIが生み出した驚きの戦略でさえ、実世界で似たようなものが見つかることもある。

　PolyWorldという仮想世界では、仮想生物が食糧や資源をめぐって競争を繰り広げることができるのだが、そのなかで一部の生物が自分の子どもを食べるという残酷な戦略を進化させた。この世界では、子どもをつくっても資源は消費しないけれど、子どもは無料の食糧源になった[5]。そして、お察しのとおり、実世界にも似たような行動を進化させた生物がいる。一部の昆虫、両生類、魚、クモは、子どもの食糧になるためだけに存在する**栄養卵**と呼ばれる未受精卵をつくる。卵が補助的な食糧になっている場合もあるし、シロヘリツチカメムシのように、卵が幼虫にとって欠かせない食糧源になっている場合もある[6]。さらに、一部のアリやハチは女王の食糧として栄養卵をつくる。きょうだいによって食べられるのは卵だけではない。一部のサメは生きたまま子どもを産むが、誕生までこぎ着けた子どもは、母親の子宮内できょうだいを食べたおかげでそこまで生き延びるのだ。

破 滅 的 忘 却

　第2章で、作業の幅が狭ければ狭いほど、AIは力を発揮するという話をしたのを覚えていると思う。特化型人工知能から始めて、次から次へと作業のしかたを教えこめば、やがて汎用人工知能に生まれ変わる……なんてことはありえない。特化型人工知能にふたつ目の作業を教えようとすると、ひとつ目の作業は忘れられてしまう。最後に教えられたものを学習した特化型人工知能ができあがるだけなのだ。

　文章生成ニューラル・ネットワークをトレーニングしていると、その実例をしょっちゅう目のあたりにする。

　たとえば、ロールプレイング・ゲーム「ダンジョンズ＆ドラゴンズ」の呪文に基づいてトレーニングしたニューラル・ネットワークの生成した呪文を見てみよう。けっこうよくできている。ちゃんと発音できるし、つづりもなんとなくありそうだ。実在の呪文だと勘違いする人だっているかもしれない。（ちなみに、わたしがニューラル・ネットワークの出力のなかから最良のものをピックアップしたので、当然といえば当然なのだが。）

Find Faithful（ファインド・フェイスフル＝忠実な者を探す）

Entangling Stone（エンタングリング・ストーン＝からまりの石）

Bestow Missiles（ビストウ・ミサイル＝ミサイルを授ける）

Energy Secret（エナジー・シークレット＝秘密のエネルギー）

Resonating Mass（レゾネイティング・マス＝共鳴する質量）

Mineral Control Spell（ミネラル・コントロール・スペル＝鉱物制御の呪文）

Holy Ship（ホーリー・シップ＝聖なる船）

Night Water（ナイト・ウォーター＝夜の水）

Feather Fail（フェザー・フェイル＝飛べない羽）

Hail to the Dave（ヘイル・トゥ・ザ・デイヴ＝デイヴ万歳）

Delay Tail（ディレイ・テール＝尻尾を遅らせる）

Stunker's Crack（スタンカーズ・クラック＝スタンカーの地割れ）

Combustive Blaps（コンバスティブ・ブラップス＝燃える打撃）

Blade of the Darkstone（ブレード・オブ・ダークストーン＝黒石の刃）

Distracting Sphere（ディストラクティング・スフィア＝惑わしの球体）

Love Hatter（ラブ・ハッター＝愛の帽子屋）

Seed of Dance（シード・オブ・ダンス＝踊りの種）

Protection of Person of Ability（プロテクション・オブ・パーソン・オブ・アビリティ＝能力ある者の保護）

Undead Snow（アンデッド・スノー＝不死身の雪）

Curse of King of Furch（カース・オブ・キング・オブ・ファーチ＝ファルヒ王の呪い）

　次に、新しいデータセットを使って同じニューラル・ネットワークをトレーニングしてみた。使ったのはパイのレシピ名のデータセットだ。はたして、パイと呪文、どちらもつくれるニューラル・ネットワークはできあがるだろうか？　トレーニングを始めた直後は、そうなるかもしれないと思った。ダンジョンズ＆ドラゴンズの呪文が独特の味を醸し出しはじめたからだ。

Discern Pie（ディサーン・パイ＝パイを識別）

Detect Cream（ディテクト・クリーム＝クリームを検出）

Tart of Death（タルト・オブ・デス＝死のタルト）

Summon Fail Pie（サモン・フェイル・パイ＝失敗したパイを召喚）

Death Cream Swarm（デス・クリーム・スワーム＝死のクリームの大群）

Easy Apple Cream Tools（イージー・アップル・クリーム・ツールズ＝簡単りんごクリーム・ツール）

Bear Sphere Transport Pie（ベア・スフィア・トランスポート・パイ＝球体輸送パイを装備）

Crust Hammer （クラスト・ハンマー＝パイ皮のハンマー）

Glow Cream Pie （グロウ・クリーム・パイ＝きらめくクリーム・パイ）

Switch Minor Pie （スイッチ・マイナー・パイ＝ちっぽけなパイを交換）

Wall of Tart （ウォール・オブ・タルト＝タルトの壁）

Bomb Cream Pie （ボム・クリーム・パイ＝爆弾クリーム・パイ）

Crust Music （クラスト・ミュージック＝パイ皮の音色）

Arcane Chocolation （アーケイン・チョコレーション＝神秘のチョコレート化）

Tart of Nature （タルト・オブ・ネイチャー＝自然のタルト）

Mordenkainen's Pie （モルデンカイネンズ・パイ＝モルデンカイネンのパイ）

Rary's Or Tentacle Cheese Cruster （ラリーズ・オア・テンタクル・チーズ・クラスター＝ラリーズまたは触手のチーズ・クラスト）

Haunting Pie （ホーンティング・パイ＝つきまとうパイ）

Necroppostic Crostility （ネクロポスティック・クロスティリティ）

Tartle of the Flying Energy Crum （タートル・オブ・ザ・フライング・エナジー・クラム＝空飛ぶエネルギー片のミニ・タルト）

　悲しいかな、トレーニングを続けると、ニューラル・ネットワークはせっかく覚えた呪文をたちまち忘れはじめ、こんどはパイの名前をつくるのがものすごく上手になった。でも、もう魔法使いではなくなっていた。

Baked Cream Puff Cake （ベークド・クリーム・パフ・ケーキ）

Reese's Pecan Pie （リーシズのピーカン・パイ）

Eggnog Peach Pie #2 （エッグノッグ・ピーチ・パイその2）

Apple Pie With Fudge Treats （アップル・パイとファッジのごちそう）

Almond-Blackberry Filling （アーモンド・ブラックベリーのつめもの）

Marshmallow Squash Pie （マシュマロぺちゃんこパイ）

Cromberry Yas （クロムベリー・ヤス）

Sweet Potato Piee（さつまいもパイイ）

Cheesy Cherry Cheese Pie #2（チーズ風チェリー・チーズ・パイその2）

Ginger Impossible Strawberry Tart（ジンジャーありえへんイチゴ・タルト）

Coffee Cheese Pie（コーヒー・チーズ・パイ）

Florid Pumpkin Pie（真っ赤なパンプキン・パイ）

Meat-de-Topping（トッピングの肉）

Baked Trance Pie（ベイクド・トランス・パイ）

Fried Cream Pies（揚げクリーム・パイ）

Parades Or Meat Pies Or Cake #1（パレードまたはミート・パイまたはケーキその1）

Milk Harvest Apple Pie（ミルク収穫アップル・パイ）

Ice Finger Sugar Pie（アイス・フィンガー・シュガー・パイ）

Pumpkin Pie With Cheddar Cookie（パンプキン・パイとチェダー・クッキー）

Fish Strawberry Pie（魚とイチゴのパイ）

Butterscotch Bean Pie（バタースコッチと豆のパイ）

Caribou Meringue Pie（カリブーとメレンゲのパイ）

　このようなニューラル・ネットワークの奇妙な行動は、**破滅的忘却**として知られている[7]。典型的なニューラル・ネットワークには、長期記憶を保護する手段がない。新しい課題について学習を始めると、すべてのニューロンが解放され、呪文の創作という作業から切り離されて、パイの創作に使われるようになる。では、今日のAIでどのような問題を解決するのが現実的なのか？　わたしたちはAIに仕事をさせるということについて、どう考えるべきなのだろう？　破滅的忘却は、その鍵をにぎるひとつの要因といえるだろう。

　研究者たちは、破滅的忘却の問題の解決に取り組んでいる。何十

年ぶんもの長期記憶を安全に保持できる人間の脳をお手本にして、保護されたニューロンで構成される一種の長期記憶を組みこもうとしているのだ。

　どちらかというと、大規模なニューラル・ネットワークのほうが破滅的忘却に対しては強いといえるかもしれない。トレーニングを受けた多数のセルに能力が分散されているので、転移学習の最中に、すべてのセルが再利用されるわけではない。GPT-2（第2章で登場した巨大な文章生成ニューラル・ネットワーク）のような巨大アルゴリズムは、わたしがレシピに基づいて長時間トレーニングしたにもかかわらず、ハリー・ポッターのパロディ版を創作できる。ハリーとスネイプに関する断片的なストーリーを与えると、レシピを使ってトレーニングされたGPT-2は、ちゃんと残りのストーリーを埋めてくれる。面白いことに、GTP-2は食べ物に関連する会話へと話をそらす傾向がある。あるホラー小説の一節を入力すると、やがて登場人物はレシピを共有しはじめ、「チョコレートで覆われたバターとチーズのサンドイッチ」について想い出話を始める。そして、『スター・ウォーズ』のルーク・スカイウォーカーとオビ＝ワン・ケノービの会話は、たちまちオルデラン風フィッシュ・ソースに関する議論へと変わっていく［訳注／オルデランは『スター・ウォーズ』シリーズに登場する惑星］。また、スネイプが盗まれた魔法薬についてハリーを問いつめるところから始まった会話は、たったの数段落後には、スープのレシピの改良方法をめぐるこんな会話へと変わっていた。

　「それにしても、実際に少しでも魚を入れてこのスープを味わったことがあるのかね？　あまりに風味が強すぎて、ひとつも味がしなかった」

　「ちゃんとたくさん入れて味わいました」とハーマイオニーが言った。「みんな魚を入れて食べています。すごくおいしいはずです」

「そう思います」とハリーは同意した。「ジュージューいっている牡蠣、ロブスター、エビ、ロブスターの尻尾を入れて食べてみましたけど、すごくおいしいです」

「それは本当はジュージューいっている牡蠣のレシピだったんじゃないかと思う」

「これはなんだったんだ?」とロンが台所から叫んだ。

「これはわたしにとって非常に特別なスープだ。だんぜん個性的だからね。まずはこの風味から始めて、少しずつほかの材料を加えていったほうがいい」

　AIが密接に関連しあった作業をいくつか同時に処理できるほど巨大になったとしても、それぞれの作業をぬかりなく実行できるとはかぎらない。いろいろな体勢のネコの処理に苦労した、第4章のネコ画像生成ニューラル・ネットワークを覚えているだろうか?

　今のところ、破滅的忘却のもっとも一般的な解決策は細分化だ。新しい作業を追加したくなったら、そのたびに新しいAIを使うのだ。すると、それぞれがひとつの作業しか実行できないいくつかの独立したAIができあがる。でも、それらをすべて接続して、そのときどきで必要なAIを特定する方法をうまく考え出すことができれば、技術的には複数の作業を実行できるアルゴリズムができあがる。「Doom」をプレイするAIが、実は3つのAIでできていたのを思い出してほしい。ひとつがゲーム世界を観察し、ひとつが次に起こる出来事を予測し、そしてもうひとつが最善の行動を判断したのだった。

　破滅的忘却は、人間並みの人工知能の構築を妨げる特に大きな障害のひとつだと考えている研究者たちもいる。アルゴリズムがいちどにひとつの作業しか学習できないとしたら、会話、分析、計画、意思決

定など、人間が常ひごろ行っている多様な作業をいっぺんにこなすことなんてどうしてできるだろう？　破滅的忘却の問題を乗り越えないかぎり、わたしたちは永久にシングルタスクのアルゴリズム以上のものをつくれないのかもしれない。一方で、数多くのシングルタスクのアルゴリズムどうしをアリの集団のように連携させることができれば、アルゴリズムがお互いに対話しながら複雑な問題を解決できるようになるだろう。将来、汎用人工知能が誕生するとしたら、それは人間よりも社会性昆虫の群れに近いにちがいない。

バイアスの増幅

第7章で、AIがトレーニング・データからバイアスを学習してしまうさまざまなパターンを見た。実は、バイアスは悪化することはあっても改善することはない。

機械学習アルゴリズムは、トレーニング・データからバイアスを獲得するだけでなく、バイアスを悪化させる傾向がある。でも、アルゴリズムから見れば、トレーニング・データ内の人間の行動とより高確率で一致する近道的な法則を発見したにすぎない。

この近道的な法則がどう役立つかは、ちょっと考えればわかるだろう。画像認識アルゴリズムは、人間が手に持った物体の認識が不得手でも、キッチン・カウンター、戸棚、コンロなどが見えれば、写真中の人間が刀ではなく包丁を持っていると推測するだろう。実際、刀と包丁の見分けがつかなくても、背景が台所ならたいていは「包丁」だと推測しておいて問題ない。これは第6章で紹介した不均衡データの問題の一例だ。分類アルゴリズムが一方の種類の入力例ばかりを見つづけたせいで、珍しいほうの事例は発生しないと仮定すれば労せず正解率を上げられるということを学習してしまう現象だ。

　残念ながら、不均衡データの問題とバイアスのあるデータセットが出会うと、バイアスはいっそうひどくなることが多い。バージニア大学とワシントン大学のある研究者たちは、画像分類アルゴリズムがキッチンで撮影された人間を女性だと認識した頻度と、男性だと認識した頻度を比べた[8]。（彼らの研究や、人間によってラベルづけされた元のデータセットでは、性別が男性と女性のふたつに分類されていた。この研究の著者たちは、これが性別というスペクトルの不完全な定義であることを指摘している。）人間によってラベルづけされた元の写真では、料理をしている男性の写ったものが全体の33％しかなかった。このデータセットには、最初から性別に関するバイアスがあったことになる。ところが、もっと深刻なのはここからだ。彼らがこの写真を使ってAIをトレーニングしたところ、そのAIは画像全体の16％しか「男性」とラベルづけしなかった。キッチンに立つ人間はみんな女性だと仮定すれば、手軽に正解率を上げられることに気づいたのだ。

　もうひとつ、機械学習アルゴリズムの性能が人間よりも圧倒的に劣るケースがある。それは、SF世界のような奇妙なハッキングにまんまとだまされてしまう機械学習アルゴリズム特有の性質と関係している。

敵 対 的 攻 撃

　あなたがゴキブリ飼育場のセキュリティ担当者だとしよう。あなたは場内のすべての監視カメラに高度な画像認識技術を取り入れ、ちょっとでも問題の兆候を検知すれば警報が鳴るようにしている。ある日、1

日が何事もなく終わり、あなたが最後にシステムのログを確認したところ、ゴキブリがスタッフ専用エリアに逃げ出した回数は0回と記録されているのに、キリンの確認回数が7回と記録されている。おかしいなとは思いつつも、まだ事態の深刻さに気づいていないあなたは、念のためカメラの映像を確認してみることにする。「キリン」のタイムスタンプが初めて押されている箇所を再生した瞬間、何百万本という足のうごめくカサカサという音が聞こえてきた。

　いったい何が起きたのだろう？

　あなたの自慢の画像認識アルゴリズムが、**敵対的攻撃**（adversarial attack）にまんまとだまされたのだ。アルゴリズムの設計やトレーニング・データに精通していたのか、はたまた試行錯誤を通じて発見したのかはわからないけれど、ゴキブリたちはカメラに映っているのがゴキブリではなくてキリンだとAIに思いこませる小さなカードをつくり出した。その小さなカードは、人間がカメラ越しに見てもとうていキリンには見えない。ただのカラフルなノイズの集まりにすぎない。しかも、ゴキブリたちはカードの後ろに身を隠す必要さえなかった。カメラにカードを見せたまま、堂々と廊下を歩けばよかった。

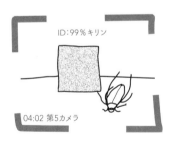

　SF世界の話みたいだって？　わかった。じゃあ、知覚を持つゴキブリという部分を除いてみるとどうだろう？　実は、敵対的攻撃に弱いというのは、機械学習ベースの画像認識アルゴリズムのなんとも奇妙な特徴なのだ。研究者たちは、ある画像認識アルゴリズムに救命ボート

の写真を見せたあと（信頼度89.2%で救命ボートと認識された）、画面の片隅に特殊な四角いノイズ・ブロックをちょこんとつけ加えた。この写真を見ている人間なら、それが隅っこに小さくてカラフルなノイズ・ブロックがくっついている救命ボートの写真だと一目でわかるが、AIは救命ボートの写真を信頼度99.8%でスコティッシュ・テリアと認識した[9]。同じ研究者たちは、AIに潜水艦をボンネット帽、さらにはヒナギク、ヒグマ、ミニバンをすべてアマガエルと思いこませることに成功した。そのAIは自分がノイズ・ブロックにだまされたことに気づいてもいなかった。ボンネット帽と認識された画像が再び潜水艦に見えるよう一部のピクセルを修正するよう指示されると、そのアルゴリズムはすべての元凶であるノイズ・ブロックだけを消せばすむ話なのに、画像全体のピクセルをところどころ修正した。

元の画像
潜水艦：98.87％、ボンネット帽：0.00％

ノイズありの画像
潜水艦：0.24％、ボンネット帽：99.05％

潜水艦（98.9％）→ボンネット帽（99.1％）

　その悪意のある小さなノイズ・ブロックが、正常に機能するアルゴリズムとゴキブリの大脱走とのちがいを生んでしまうのだから恐ろしい。

　敵対的攻撃をいちばん設計しやすいのは、攻撃相手のアルゴリズムの内部の仕組みがわかっているときだ。でも、まったく見ず知らずのアルゴリズムをだますこともできなくはない。マサチューセッツ工科大学

（MIT）の学生からなるAI研究グループLabSixの研究者たちは、ニューラル・ネットワークの内部接続に通じていなくても、敵対的攻撃を設計できるということを発見した。試行錯誤の手法を使えば、アルゴリズムの下す最終判断だけがわかっていて、試行の回数が制限されているとしても（この場合は10万回）、ニューラル・ネットワークを欺くことができる[10]。彼らは画像を操作するだけで、Googleの画像認識ツールをだまし、スキーヤーの写真を犬の写真と思いこませることに成功した。

　いったいどうやって？　彼らは犬の写真から始めて、AIが犬だと認識している度合いに影響を及ぼさないように注意をしながら、一部のピクセルをスキーヤーの写真のピクセルへとひとつずつ置き換えていった。人間が同じことをされれば、一定の時点を過ぎたところで、犬の写真にスキーヤーの写真が重なっているように感じるだろう。しばらくして、ほとんどのピクセルが変更されると、人間の目にはスキーヤーだけが見え、犬はまったく見えなくなる。ところが、驚いたことに、人間なら一目でスキーヤーの写真だと思うくらい多くのピクセルが置き換えられたあとでも、AIはまだそれを犬の写真だと信じて疑わなかった。AIは一部の決定的なピクセルだけに基づいて判断を下していたようだ。人間にはそのピクセルの役割はうかがい知ることはできないけれど……。

170.png

犬	91%
犬のような哺乳類	87%
雪	84%
北極	70%
冬	67%
氷	65%
楽しみ	60%
凍結	60%

では、だれにもアルゴリズムをいじらせたり、コードを見せたりしなければ、あなたのアルゴリズムを確実に敵対的攻撃から守れるのだろうか？　そんなことはない。実は、アルゴリズムのトレーニング材料となったデータセットさえわかっていれば、やっぱり攻撃は不可能ではないのだ。これから説明するように、こうした潜在的な脆弱性は、医療画像認識や指紋スキャンなどへの実用化の際に浮き彫りとなる。

　いちばんの問題は、フリーで使えて、画像認識アルゴリズムのトレーニングに使えるほど巨大な画像データセットというのが、世界でも数えるほどしかなく、現実問題として多くの企業や研究グループが共通のものを利用しているという点だ。これらのデータセットにはそれぞれ問題がある。たとえば、ImageNetには126種類の犬の画像があるけれど、ウマやキリンの画像はないし、人間はほとんどが白人だ。でも、フリーなので重宝されている。あるAIを標的にして設計された敵対的攻撃は、たぶん同じ画像データセットから学習したほかのAIにも有効だろう。重要なのは、AIの細かい設計方法ではなく、むしろトレーニング・データのようだ。つまり、あなたのAIのコード自体を秘匿しておいたとしても、十分な時間とコストをかけて自分専用のデータセットを構築しないかぎり、ハッカーがあなたのAIをだます敵対的攻撃を設計できる可能性は残っているわけだ。

　公開のデータセットを汚染させることにより、独自の敵対的攻撃をしかけることもできるかもしれない。たとえば、マルウェア対策AIのトレーニングのため、人々からマルウェアのサンプルを募っている公開データセットがある。しかし、2018年に発表された論文によると、ハッカーがこうしたマルウェア・データセットに一定量（データセットのわずか3％を破損させるのに十分な量）のサンプルを提出すれば、そのデータセットに基づいてトレーニングされたAIを破綻させる敵対的攻撃を設計できるのだという[11]。

　アルゴリズム自体の設計よりもトレーニング・データのほうがアルゴリズムの成功にとってずっと重要な理由はよくわかっていない。アルゴ

リズムはさまざまな状況や明るさのもとで物体を認識する方法を学習するのではなく、実際には学習に使ったデータセットの奇妙なクセを認識しているにすぎないのかもしれないということなので、この点は少し気がかりだ。つまり、画像認識アルゴリズムには、過剰適合の問題がわたしたちの想像をはるかに上回るほどはびこっている可能性もあるということだ。

　その一方で、同じトレーニング・データから学習した同族のアルゴリズムは、お互いを奇妙なくらいよく理解している。わたしがAttnGANという画像認識アルゴリズムに、「大きなケーキを食べている女の子」の画像を生成するよう指示したところ、ほとんど認識不能な画像が生成された。目、鼻、口とおぼしき穴があり、髪の毛がかぶさっている人間の肉のようなもののまわりを、ケーキのかたまりがただよっている。ケーキの質感は申し分ない。でも、人間が見たら、このアルゴリズムが何を描こうとしているのか、さっぱりわからないだろう。

大きなケーキを
食べている女の子

　でも、AttnGANが何を描こうとしていたのかがわかる者がいる。だれでしょう？　それは、COCOというまったく同じデータセットでトレーニングされたほかの画像認識アルゴリズムだ。Visual Chatbotはほぼ正解し、「小さな女の子がケーキを食べている」と報告した。

Visual Chatbot：小さな女の子がケーキを
食べている

Microsoft Azure：人間がテーブルに座って
ケーキを食べている

Google Cloud：食事、ジャンク・フード、ベー
キング、幼児、おやつ

IBM Watson：人間、食べ物、食品、子ども、
パン

（すべてCOCOにてトレーニング）

　逆に、ほかのデータセットでトレーニングされた画像認識アルゴリズ
ムは混乱してしまう。「ロウソク？」とあるアルゴリズムは推測した。「タ
ラバガニ？」「プレッツェル？」「巻き貝？」

DenseNet：ロウソク

SqueezeNet：タラバガニ

Inception V3：プレッツェル

ResNet-50：巻き貝

（すべてImageNetにてトレーニング）

　芸術家のトム・ホワイトは、この効果を利用して新種の抽象芸術を
生み出している。彼はあるAIに抽象的な模様や水性塗料からなるパ

レット一式を与え、別のAIが識別できるモノ（たとえば、ハロウィーンで飾るカボチャのランタン）を描くよう指示する[12]。そうして描かれたモノは、そのAIが描こうとしたモノにはあまり見えない。「計量カップ」は水平方向に線が走り書きされているずんぐりとした緑色のかたまりにしか見えないし、「チェロ」はどちらかというと楽器よりも人間の心臓に近い。でも、ImageNetでトレーニングされたアルゴリズムから見れば、それらの写真は不気味なくらい正確なのだ。ある意味、この芸術作品は一種の敵対的攻撃ともいえる。

　もちろん、こうした善良な目的に使われるケースは例外で、敵対的攻撃はむしろ先ほどのゴキブリの脱走シナリオのように悪用されることが多い。2018年、ハーバード大学医学大学院とMITのチームは、医療分野における敵対的攻撃は特に陰湿で、金儲けに悪用される危険性があると警鐘を鳴らした[13]。近年、X線検査や組織サンプルなどの医療画像から病気の兆候を自動的に探し出す画像認識アルゴリズムの開発が進められている。人間が一つひとつ確認しなくても、短時間で大量に画像を選別できるので効率的だ。さらに、同じソフトウェアが導入されている病院なら、結果が食いちがうことがないので、特定の治療の対象患者を判断したり、さまざまな薬どうしを比較したりするのに使える。

　そこにハッキングの動機が潜んでいる。アメリカでは健康保険詐欺がすでに横行していて、収益を上げるために不必要な検査や治療を行う医療機関はあとを絶たない。その点、敵対的攻撃は、患者をカテゴリー Aからカテゴリー Bへとこっそり変えるのに便利な手段だ。また、高利益な新薬が承認されるように、臨床試験の結果に手を加えたいという誘惑も常にある。そして、多くの医療画像認識アルゴリズムは、基本的には汎用的なImageNetがトレーニングのベースになっている。そこに専門的な医療データセットを使ってもう少し余分なトレーニングを積んだにすぎない。なので、ハッキングするのは比較的簡単だ。もちろん、医療分野で機械学習を使える望みがないと言っているわけで

はないけれど、人間の専門家が定期的にアルゴリズムの仕事を抜き打ち検査する必要はあるかもしれない。

　もうひとつ、敵対的攻撃の影響を特に受けやすい分野は、指紋の読み取りだ。ニューヨーク大学タンドン工科校とミシガン州立大学のチームは、敵対的攻撃を使って「マスター指紋」と呼ばれるものを設計できることを証明した。このたったひとつのマスター指紋は、ある低セキュリティの指紋リーダーにおいて、指紋全体の77%になりすますことができた[14]。また、高セキュリティの指紋リーダーや、ほかのデータセットでトレーニングされた市販の指紋リーダーなど、当時の大部分を占める指紋リーダーもだますことができた。おまけに、ノイズやゆがみを含むほかのなりすまし画像とはちがって、マスター指紋はごくふつうの指紋のように見えるので、なりすましを検出するのが難しかった。

　音声テキスト変換アルゴリズムもハッキングされる可能性がある。たとえば、「ゴキブリが入ってくる前にドアを閉めろ」という音声クリップをつくり、人間の耳にはかすかな雑音にしか聞こえないノイズをかぶせると、音声認識AIに「おいしいサンドイッチをお楽しみください」と誤認識させることもできる。この手法を使えば、音楽や静寂のなかにメッセージを忍びこませることだってできてしまう。

オイシイ サンドイッチヲ
オタノシミ クダサイ ダッテ?
デハ エンリョナク。

　履歴書の審査サービスも、敵対的攻撃を受ける可能性がある。といっても、独自のアルゴリズムを開発したハッカーではなく、履歴書にさりげなく手を加えてAIの審査に合格しようとする人々による攻撃だ。

ガーディアン誌はこう報じている。「大手テクノロジー企業のある人事担当者は、自動選考に合格するために、"オックスフォード"や"ケンブリッジ"という単語を目に見えない白い文字で履歴書に忍びこませることを勧めている」[15]

　敵対的攻撃を受けやすい技術は、機械学習アルゴリズムだけではない。人間でさえ、ワイリー・E・コヨーテ［訳注／さまざまな知恵をこらしてロード・ランナーをつかまえようとするアニメ「ルーニー・テューンズ」のキャラクター］風の敵対的攻撃にだまされやすい。たとえば、偽の停止標識や岩壁に描かれたトンネルの絵など。ただ、機械学習アルゴリズムは人間が気づきもしない敵対的攻撃にまんまとだまされてしまうという点が問題なのだ。そして、このままAIが普及していけば、AIの安全性と、どんどん高度で発見しづらくなっていくハッキング手法とのあいだで、激しいせめぎあいが繰り広げられるようになるかもしれない。

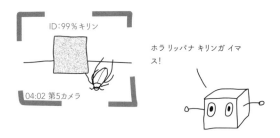

タッチパネルを使う人間を標的とした敵対的攻撃の例をひとつ。ある広告主は、バナー広告にフェイクの"ほこり"を表示した。なぜか？　人間がほこりを払おうとして、うっかり広告をクリックするのを期待しているわけだ[16]。

当たり前のものを見落とす

　AIの思考回路を確認する手立てはないし、ある結論にいたった経緯をAI自身に教えてもらうのも難しい（この点については取り組みが続けられているけれど）。こういう場合、ふつうはAIの取る奇妙な行動が、何かがおかしいという最初の手がかりになる。

　水玉模様のあるヒツジや、側面にトラクターの絵が描かれたヒツジを見たAIは、ヒツジを見たとは報告するけれど、異状を知らせたりはしない。頭がふたつあるヒツジ形の椅子、脚や目玉が多すぎるヒツジを見たとしても、アルゴリズムはただヒツジを見たと報告するだけだ。

　なぜAIはこうした異状をスルーしてしまうのだろう？　異状を表現する手段自体がないから、というケースもある。「ヒツジ」などの分類名を答えることはできても、「はい、ヒツジはヒツジですけど、どこかがものすごくおかしいです」と表現する選択肢がないのだ。でも、実際には別の理由であることが多い。画像認識アルゴリズムは、めちゃくちゃにシャッフルされた画像を識別するのがとても得意なのだ。たとえば、フラミンゴの画像をいったんバラバラにして適当に並べ直すと、人間にはもはやフラミンゴに見えなくなる。でも、AIは問題なくフラミンゴと認識するかもしれない。目、くちばし、足さえ見えれば、位置関係がめちゃくちゃでも問題ない。AIは特徴どうしの関係性ではなく、特徴そのものを探しているだけなのだ。言い換えれば、こうしたAIは**バッグ・オブ・フィーチャーズ・モデル**（bag-of-features model）［訳注／画像を局所的な特徴の集合体とみなし、各々の特徴の現われる頻度によって画像を認識する手法］と同じように機能しているということだ。理論上、小さな特徴だけでなく大きな形状を認識できるAIでさえ、単純なバッグ・オブ・フィーチャーズ・モデルのように機能していることが多いようだ[17]。フラミンゴの目が足首にくっついていたり、くちばしが数メートル先に転がったりしていても、AIの目には異状と映らない。

もしあなたがホラー映画のなかにいて、ゾンビが襲ってきたら、自動運転車からハンドルを奪い返したほうがいい。

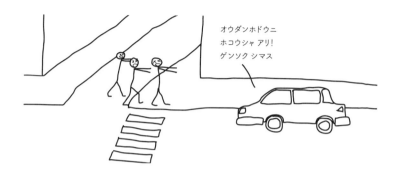

オウダンホドウニ
ホコウシャ アリ!
ゲンソク シマス

　もっと心配なことに、自動運転車のAIは、めったにないけれど現実に起こりうる路上の危険を見逃してしまう可能性がある。目の前の車が燃えたり、氷でスリップしたり、ジェームズ・ボンドの宿敵が乗っていて路上に釘をばらまいたりしても、この問題自体を想定していなければ、自動運転車は何も異状を感知しないだろう。

　では、目玉を数えるAIや、炎上している車を識別するAIは設計できないだろうか？　まちがいなくできる。"炎上識別"AIはたぶんものすごく正確だ。でも、AIに炎上している車と正常な車と酔っ払い運転の車と自転車と動物園から逃げ出したエミューを区別させるのは？　それはとてつもなく幅の広い作業だ。AIは作業の幅が狭ければ狭いほど力を発揮するという話を思い出してほしい。この世界のありとあらゆる異状に対処するのは、今日のAIにはムリな注文だ。そのためには、どうしても人間の力が必要なのだ。

AIがいそうもないところは どこ?―― 人間のボット

で、お仕事は何を?

わたしの仕事を奪ったコンピューターに
なりすましています。

　本書全体を通じて、AIが人間並みの力を発揮できるのは、厳密に
制御されたとても幅の狭い状況だけだということを学んできた。問題の
幅が広くなると、AIは悪戦苦闘しはじめる。ほかのソーシャル・メディ
ア・ユーザーの投稿に返答するというのは、幅が広くて厄介な問題の
例だ。だからこそ、いわゆる"ソーシャル・メディア・ボット"―― スパ
ムやデマを広める悪徳アカウント ―― がAIで実現する可能性は低いの
だ。実際、AIにとっては、ソーシャル・メディア・ボットを見つけるほ
うが、ソーシャル・メディア・ボットになりすますよりも簡単かもしれな
い。なので、ソーシャル・メディア・ボットを構築する人々は、従来型
のルールベース・プログラミングを用いて、いくつかの単純な機能を自
動化するだけのことが多い。それよりも高度な作業は、AIではなく低
賃金で雇われた人間が行っている可能性が高いのだ。(人間がロボット
の仕事を奪うというのはなんとも皮肉なものだ。)本章では、わたしたちがボッ
トと考えているものが実際には人間であるケースや、近い将来AIが進

出しそうもない分野について話をしてみよう。

ボットの服をまとった人間

　AIに難しすぎる課題を与えてしまうことはよくある。AIが課題に挑戦して失敗したときに初めて問題があると気づくプログラマーもいるし、AIが本来解決すべきものとはまったく異なる簡単な問題を解決しようとしていることにとうとう気づかないプログラマーもいる（たとえば、医療の症例ファイルの内容ではなく長さに注目して、問題のある症例を識別するAIなど[1]）。あるいは、裏でこっそりと人間にやらせておきながら、AIで問題を解決する方法を発見した ふ り をするプログラマーもいる。

　この最後の現象、つまり本当は人間のした仕事をAIがやったと主張するケースは、あなたが思うよりも世の中に横行している。AIをさまざまな用途に使う魅力とは、こなす仕事量を大幅に拡大できるという点だ。たとえば、1秒あたり何百何千件という画像や取引を分析できる。しかし、仕事量がすごく少なければ、わざわざAIをつくるよりも人間にやらせるほうが簡単だし、何より安上がりだ。2019年、AI関連企業と分類されるヨーロッパの新興企業の実に4割は、AIをまったく使用していなかった[2]。

　人間を用いるのが一時しのぎの策であることもある。テクノロジー企業がユーザー・インターフェイスやワークフローを開発したり、投資家の関心を見定めたりしているあいだ、まずはソフトウェアの人力プロトタイプをつくるということもあるだろう。または、その人力プロトタイプを使って、最終的なAIのトレーニング・データに使えるサンプルを生成することもある。この「できるまではできるふり」作戦は、理にかなっている面もあるけれど、大きなリスクにもなりうる。企業が実際にはどうやっても開発できないAIのデモンストレーションを勇み足で行ってしまうことがあるのだ。人間にとっては朝飯前なタスクでも、AIにとってはものすごく難しいことや、時には絶対に不可能なこともある。人間

は意識しなくても幅広い作業をこなせる巧みな習慣を身につけているからだ。

そういう場合、企業はどうするのか？　たまに使われるのは、AIが苦労しはじめたときにサッと割って入る人間を待機させておくという方法だ。現在の自動運転車がその例だ。AIは、長い高速道路上や長時間の渋滞中に、車の速度を維持したり、さらには車を操縦したりすることもできる。でも、AIが混乱したとき、人間がすぐに助けに入れるよう準備をしておかなければならない。こうした手法は、**擬似AI**（pseudo-AI）とか**ハイブリッド型AI**（hybrid AI）と呼ばれる。

リカイ フノウ！
ニンゲンサン タスケテ クダサイ！

疑似AIを、AIによる拡張可能な解決策を完成させるまでの一時的な架け橋ととらえている企業もある。でも、それは彼らが期待するほど“一時的”なものではないかもしれない。第2章で紹介したFacebook Mを覚えているだろうか？　厄介な質問が来たら人間の従業員に質問を転送するパーソナル・アシスタントAIアプリだ。最終的には人間の介入を段階的に減らしていく予定だったが、アシスタントの仕事はAIにとってあまりにも幅が広すぎることがわかったのだった。

また、AIの持つスピードと人間の持つ柔軟性のいいとこ取りをする手段として、擬似AIの手法を取り入れている企業もある。AIが画像について確信を持てないと、人間に送信して分類してもらうハイブリッド型の画像認識を提供している企業はいくつかある。ある出前サービスはAI駆動のロボットを利用している。ただし、レストランからロボットまで食べ物を運ぶのは自転車に乗った人間の仕事で、AIは遠隔地にい

る人間のドライバーが設定した5〜10秒間隔の通過点を、ロボットが安全に移動できるよう手助けするにすぎない[3]。さらに、ハイブリッド型のAIチャットボットを売りこんでいる企業もある。顧客はまずAIと会話を始め、会話が入り組んできたら人間に転送される仕組みになっている。

このやり方は、顧客が人間と話していると承知しているなら十分にうまくいくかもしれない。でも、経費報告書[4]、個人的なスケジュール[5]、ボイス・メール[6]が人格のないAIによって処理されていると思っていた顧客は、人間の従業員が自分の機密情報を見ていると知ってショックを受けることもあった。それは、赤の他人の電話番号、住所、クレジットカード番号をいきなり送りつけられた人間の従業員のほうも同じだった。

ハイブリッド型AIや擬似AIのチャットボットにも、潜在的な落とし穴がある。遠隔での会話はそれ自体が一種のチューリング・テストとなる。ところが、カスタマー・サービスという筋書きどおりの限定的な環境では、人間とAIの見分けがつきづらいこともある。その結果、相手がボットだと思いこんだ顧客から、人間の従業員が失礼な扱いを受けてしまうこともあるのだ。実際、そうした不満を口にする従業員たちもいる。たとえば、耳の聞こえない顧客や聴覚障害を持つ顧客のために、リアルタイムで電話の音声を文字起こしする仕事をしている人がそうだ。その人がミスをすると、電話口から「まったくツカえないコンピューターだな」という罵り声が聞こえてくるケースもあった[7]。

もうひとつの問題は、人々がAIの能力を誤解してしまうことだ。自称AIが人間並みの会話を始めたり、人間並みの精度で顔や物体を識別したり、ほぼ完璧に文字起こしをしたりすれば、人々はAIが本当に自力でそれをやっていると思いこんでしまうかもしれない。中国政府は、全国的な監視システムでこの点を悪用しているといわれている[8]。専門家たちは、中国政府が警戒リストに登録している3000万人を正確に識別できる顔認証システムなどないと口をそろえる。2018年、ニューヨーク・タイムズ紙は、中国政府がいまだに昔ながらの方法で顔認証の大

部分を行っており、人間が写真の確認と照合を行っていると報じた。しかし、政府は一般大衆に高度なAIを使っていると伝えている。全国的な監視システムがすでにあらゆる動きを追跡できるレベルに達していると一般大衆に信じこませるためだ。そして、人々はその話をおおむね信じているようだ。カメラがあると周知された地域では、違法な道路横断や犯罪率が低下しており、システムが犯罪を目撃していたと言われて自白した容疑者までいる。

それはボット？　ボットじゃない？

これほど多くのAIが部分的に、時には完全に人間に置き換えられているとしたら、相手が本物のAIかどうかをどう見分ければいいのか？本書では、AIにできること、できないことの例をたくさん見てきた。でも、世の中では、AIにできること、AIがすでに行っていること、近い将来できるようになることについて、これからも数々の誇大宣伝が出回るだろう。製品を売りこもうとしている人々や、センセーショナルな物語を伝えようとしている人々は、きっと大げさな見出しを考えるはずだ。

- ・FacebookのAIが人間に理解できない言語を発明：Skynetへと進化する前にシステムが廃止される[9]
- ・ベビーシッター審査アプリPredictimがAIを使っていじめっ子を検出[10]
- ・世界初のロボット市民「ソフィア」がジェンダーや意識について考えたこと[11]
- ・ペンシルベニア大学の30トンの電子頭脳はアインシュタインよりも速く思考する（1946年）[12]

わたしは本書で、AIに何ができて、何ができそうにないのかを明らかにしようとしてきた。上のような見出しは大きな危険信号だ。本書で

は、その理由をイヤというほど挙げてきた。

AIに関する主張を評価するときには、次のような疑問について考えてみるといいだろう。

▶ 1. 問題はどれくらい幅広いか?

本書全体で見てきたように、AIが最大の力を発揮するのは、厳密に定義されたとても幅の狭い問題を相手にしたときだ。チェスや囲碁は、AIにとって十分に幅の狭い問題だ。人間の顔の存在を認識したり、健康な細胞と特定の病気を見分けたりといった具合に、特定の種類の画像を識別することもたぶんできるだろう。路上や人間との会話で発生する予測不能な出来事すべてに対処するのは、たぶんAIの手には負えない問題だろう。実際に試せば、かなりの確率で成功するようにはなるかもしれないけれど、きっとバグはなくならないはずだ。

もちろん、グレイな領域を占める問題もある。AIは医療画像の分類は得意かもしれないが、キリンの写真をこっそりと忍びこませれば、AIはたぶん困惑するだろう。人間として通るAIチャットボットは、たいていなんらかのトリックを使って、話が支離滅裂なことや、狭い話題しか扱えないことへの言い訳をする。たとえば、あるチャットボットは、あまり英語が得意でない11歳のウクライナ人少年のふりをしてごまかしていた[13]。また、あらかじめ質問がわかっていて、その回答を人間がすでに書いている厳密に管理された環境で"会話"を行うAIチャットボットもいる。問題を解決するのに幅広い知識や文脈が必要になったときは、たぶん人間にバトンタッチするのだろう。

▶ 2. トレーニング・データはどこから来たものか?

時には、自分で書いたストーリーを「AIが書いた」と言いふらす人々もいる。2018年にTwitterで話題になったこんなジョークを覚えているかもしれない。あるボットがレストラン・チェーン「Olive Garden」の1000時間ぶんのテレビCMを視聴し、新しいCMの台本を生成したとい

うのだ。その台本が実は人間によって書かれたということを見破るひとつのヒントは、AIの学習材料と生成内容が一致していないという事実にあった。動画を学習材料にしたAIは、必ず動画を出力する。動画を台本に変える別のAI（もしくは人間）でもいないかぎり、AIが自力でト書きまで含めた台本を生成することなんてできないのだ。そのAIには手本にすべき一連の例や、最大化すべき適応度関数があったのか？　もしそうでないとしたら、あなたが見ているのはたぶんAIが生成したものではないだろう。

▶ 3. その問題の解決には大量の記憶が必要か？

　第2章で、AIが最高の力を発揮するのは、いちどにたくさんのことを覚える必要がないときだと話したのを思い出してほしい。この点は今も改良が重ねられてはいるけれど、現時点では、ある解決策がAIによるものだということを示すひとつのサインは記憶力不足だ。AIの書いた物語はあちこちに飛びまくる。その前に張った伏線はいつまでたっても解決されず、文章がきちんと完結しないことさえある。複雑なビデオ・ゲームをプレイするAIは、長期的な戦略で苦労するし、会話を行うAIは、相手の名前などを覚えておくようにきちんとプログラミングされていないかぎり、前に伝えられた情報を忘れてしまう。

　前に出たジョークをもういちど参照したり、登場人物をしっかりと覚えていたり、部屋にあるモノを把握したりできるAIは、少なくともそうとう人間による編集が加わっていると見ていいだろう。

▶ 4. 人間のバイアスを単にそのまままねてはいないか？

　本当にAIを使って問題を解決できているように見えても、実はAIがプログラマーの言うほど有能でない可能性もある。たとえば、ある企業が、求職者のソーシャル・メディアをスキャンして、信頼できる人物かどうかを判断できる新しいAIを開発したと主張しているとしよう。こういうときは、すぐに警戒したほうがいい。こうした仕事には、ミーム、

ジョーク、皮肉、最近の出来事への言及、文化的な相違などを扱える人間並みの言語力が必要になるからだ。つまり、これは汎用人工知能向けの仕事なのだ。では、各候補者の評価値を返すというAIは、いったい何を判断材料にしているのか？

　2018年、ソーシャル・メディアを分析してベビーシッターの求職者を審査するサービスを提供していた会社のCEOは、テクノロジー・メディア・サイトGizmodoに対して、「われわれは倫理的でバイアスのないサービスとなるよう、製品、マシン、アルゴリズムを慎重にトレーニングしました」と語った。このAIにバイアスがないことの根拠として、同社のCTOはこう述べている。「肌の色は見ませんし、民族も見ません。それらをアルゴリズムに入力することすらできないのです」。でも、これまで見てきたように、やろうと思えば、人間どうしの評価方法の傾向をつかむ方法はいくらだってある。郵便番号や写真は人種のひとつの指標になりうるし、単語の選び方はジェンダーや社会階級などの手がかりになる。実際、Gizmodoのある記者がこのベビーシッター審査サービスをテストしたところ、彼の黒人の友人が「無礼」と評価された一方、口の悪い白人の友人はより高く評価されていた。これは問題のひとつの兆候だ。AIがトレーニング・データ内の系統的なバイアスを拾ってしまった可能性を問われると、CEOは可能性がゼロでないことを認めたうえで、そうしたエラーをとらえるために人間によるレビューを追加したと述べた。では、なぜ記者のふたりの友人はあのような評価になったのだろう？　人間によるレビューでは、バイアスを持つアルゴリズムの問題は必ずしも解決しない。そうしたバイアスは人間に由来することが多いからだ。そして、そのAIは顧客に判断の経緯を伝えたりはしないし、たぶんプログラマーにも教えてはくれないだろう。その結果、AIの判断に異を唱えるのが難しくなる[14]。Gizmodoなどがこのサービスについて報じた直後、Facebook、Twitter、Instagramは、利用規約違反を理由に、同社のソーシャル・メディア・アクセスを制限し、同社は計画していたサービス開始を中止した[15]。

求職者を審査するAIにも同じような問題がある。女性候補者にペナルティを与えることを学習したAmazonの履歴書審査AIがその一例だ。AI駆動型の履歴書審査サービスを提供する企業は、AIを導入したあとで従業員の多様性（ダイバーシティ）が大きく増したクライアント企業のケース・スタディを自慢げに挙げている[16]。でも、慎重なテストを行ってみなければ、その理由はわからない。たとえ履歴書審査AIがまるでランダムに候補者を推薦したとしても、それだけで平均的な企業採用と比べて人種や性別に関するバイアスが減るなら、結果的に従業員の多様性は増すはずだ。さらに、動画を分析するAIは、顔に傷跡や部分麻痺がある候補者、表情による感情表現が西洋の神経学的な基準と一致しない候補者に対してはどう対応するのだろう？

　2018年に放送局のCNBCが報じたように、人々はすでに求職者の動画を審査するAIのために大げさな感情表現をしたり、表情が読み取りやすい化粧をしたりするようアドバイスされている[17]。感情分析AIがもっと広まり、群衆のなかから微表情や身ぶりの怪しい人々を探し出すようになれば、人々はそうしたAIに誤解されないよう、常に自分を演じていなければならなくなるだろう。

　AIに人間の言語や人間性の微妙な機微を判断させるうえでいちばん厄介な問題とは、それがあまりにも難しすぎるという点だ。もっと悪いことに、AIが理解できるほど単純で信頼性の高い法則は、偏見やステレオタイプなど、本来あてにしてはならないものばかりかもしれない。人間の偏見を和らげるAIシステムを構築することは可能だけれど、並大抵の努力ではできないし、悪気はなくともバイアスがまぎれこんでしまう危険性はある。このような仕事にAIを使うときは、AIの仕事ぶりをチェックしないまま、AIの判断をうのみにしてはいけないのだ。

人間とAIの
パートナーシップ

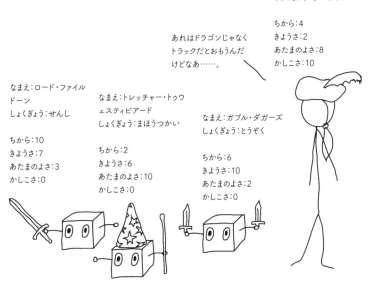

なまえ：フェイ・ブラッター
ロケット
しょくぎょう：ぎんゆうしじん

ちから：4
きようさ：2
あたまのよさ：8
かしこさ：10

あれはドラゴンじゃなく
トラックだとおもうんだ
けどなあ……。

なまえ：ロード・ファイル
ドーン
しょくぎょう：せんし

ちから：10
きようさ：7
あたまのよさ：3
かしこさ：0

なまえ：トレッチャー・トゥ
ェスティビアード
しょくぎょう：まほうつかい

ちから：2
きようさ：6
あたまのよさ：10
かしこさ：0

なまえ：ガブル・ダガーズ
しょくぎょう：とうぞく

ちから：6
きようさ：10
あたまのよさ：2
かしこさ：0

インスタントAI──人間の専門知識を加えるだけ

　本書で学んだことがひとつあるとすれば、それはAIが人間なしではほとんど何もできないということだ。ひとりきりにされると、AIは見事に行きづまってしまう。それならまだましなほうで、最悪の場合には、まったく的外れな問題を解決し、本書で見てきたような壊滅的な影響をま

わりに及ぼしてしまう。なので、AIによる自動化によって、人間の仕事がなくなるなんてことはまず考えられない。それよりもはるかに現実味が高いのは、たとえ高度なAIテクノロジーが広まったとしても、AIと人間が協力して問題を解決し、反復的な作業をスピードアップさせるという未来像だ。本章では、AIと人間が共存する未来の姿、そしてAIと人間の意外なパートナーシップを見ていこう。

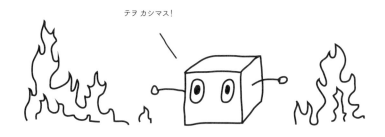

テヲ カシマス！

　本書でさんざん見てきたように、AIが適切な問題を解決できるようにお膳立てをするのは人間の仕事だ。たとえば、機械学習アルゴリズムが犯しがちなミスを前もって想定し、そうしたミスに目を光らせる。ミス自体を防げれば言うことなしだ。適切なデータを選ぶというのは、そうした仕事の大きな一部だろう。乱雑なデータや欠陥のあるデータが問題につながることは十分にありえるからだ。もちろん、AIは自力でデータセットを収集することはできない。データ収集に特化した別のAIを設計すれば話は別だが。

　もちろん、AIの構築自体も人間の仕事だ。スポンジのように情報をどんどん吸収していくまっさらな頭脳なんて、SF世界にしか存在しない。現実のAIの場合、解決すべき問題に合ったAIの形を選ぶのは人間だ。つくろうとしているのは画像を認識するAIなのか？　新しい風景を合成するAIなのか？　スプレッドシート内の数値や文中の単語を予測するAIなのか？　それぞれにちがったタイプのAIが必要になってくる。問題が複雑な場合、最高の結果を得るためには、ある仕事に特化したアル

ゴリズムを多数連動させる必要があるかもしれない。ここでもやっぱり、サブアルゴリズムをうまく選び、連携して学習できるようにセットアップするのは人間の仕事だ。

データセットにも人の手がおおいに加えられる。AIの負担をなるべく減らすような環境を人間のプログラマーがうまくつくってやれば、AIはより力を発揮するだろう。第1章のノックノック・ジョークを思い出してほしい。AIがノックノック・ジョークのパターンを一から学習する必要がなく、オチを埋めることだけに集中できていたら、はるかに速く進歩していたにちがいない。最初にダジャレに使えるお決まりの単語とフレーズのリストを与えられていれば、もっとジョークが上達していただろう。もうひとつ例を挙げると、AIが3次元の情報を認識しなければならないことがあらかじめわかっている場合には、3次元の物体表現を念頭に置いてAIを構築すると役立つ[1]。また、乱雑なデータセットをクリーンアップして、まぎらわしいデータを除去するのも、人間がデータセットに対してできる仕事の大きな一部。第4章で紹介したレシピ生成AIは、レシピを考えることよりも、ISBN番号の形式を整えることばかりに時間を費やし、データセット内にある奇妙なスペル・ミスを忠実にまねてしまったのを覚えているだろうか？

そういう意味では、実用的な機械学習は、人間が問題の解決方法をコンピューターに順を追って手取り足取り教えるルールベースのプログラミングと、アルゴリズムが何から何まで自分で考える自由な機械学習、そのふたつをかけあわせたハイブリッド型のものになるだろう。アルゴリズムが解決しようとしている問題について高度な専門知識を持つ人間は、プログラムにとって大きな助けになる。実際、解決しようとしている問題について研究していたプログラマーが、機械学習を用いる必要自体がなくなるほど、問題を深く理解してしまったことにふと気づくケースもある。ある意味、それが理想的なのかもしれないが……。

もちろん、人間が介入しすぎると逆効果になることもある。人間はスピードが遅いだけでなく、単に問題を解決する最善のアプローチがわ

からないこともある。たとえば、ある研究者グループは、人間の助けを
より多く盛りこむことにより、画像認識アルゴリズムのパフォーマンスを
改善しようとした[2]。ある写真を「犬」と単純にラベルづけするのでは
なく、画像内で実際に犬がいる部分を人間がクリックし、特にその部
分に着目するようAIをプログラミングしたのだ。一見すると、このやり
方は理にかなっている。写真のどの部分に注目すべきかを人間が具体
的に示してあげれば、AIの学習スピードはまちがいなく上がると思うだ
ろう。ところが、人間がAIに犬を見せれば、AIは犬を見はするのだが、
なんらかの影響によって認識精度はむしろずっと悪くなる。もっと厄介
なことに、その正確な理由は定かではない。画像認識アルゴリズムが
何を手がかりにして画像を識別するのかがまだよくわかっていないから
かもしれないし、画像をクリックした人が、アルゴリズムの用いる犬の
認識方法を理解していなくて、実際にアルゴリズムが識別に用いる部
分ではなく、自分が重要だと思った部分（目、鼻、口など）をクリックし
てしまったからかもしれない。そこで、研究者たちはAI自身が重視して
いる箇所を確かめるため、画像のどの部分を見たときにAIのニューロ
ンが活性化するかを調べてみた。その結果、AIは犬の境界や写真の
背景を指し示すことが多かった。

メンテナンス

　もうひとつ、機械学習に人間の助けが必要な分野がメンテナンスだ。
　AIが実世界のデータでトレーニングされたあと、世界が変わる可能
性もある。機械学習の研究者のヘクター・イーは、2008年ごろ、画
像内の自動車を検出する新しいAIを一から設計する必要なんてない、
と同僚たちに言われたという。すでに高性能な自動車検出AIが存在し
ていたからだ。ところが、イーがそのAIを実世界のデータで試してみる
と、まるで使い物にならなかった。なぜか？　そのAIは1980年代の自
動車を使ってトレーニングされていたので、現代の車の認識方法がわ

からなかったのだ[3]。

　第4章で紹介したキリン好きのチャットボットVisual Chatbotにも、似たような奇妙なクセがある。人間が手に持っている物体（ライトセイバー、銃、剣）をWiiリモコンと認識する傾向があるのだ。Wiiが全盛を誇った2006年なら、それも合理的な推測かもしれないけれど、10年以上がたった今では、Wiiリモコンを持っている人を見つけるほうが難しい。

　急に状況が変わり、AIを混乱させる可能性のあるものはごまんとある。以前の章で触れたように、道路の封鎖や山火事のような災害が起きたとしても、AIは交通量だけを見て自分が最適だと思うルートを提案してしまう。まったく新しいスクーターが急に流行したら、自動運転車の障害物検出アルゴリズムは使い物にならなくなってしまうかもしれない。変化する世界は、世界を理解するアルゴリズムの設計をいっそう難しくするのだ。

　また、新たに発見された問題を修正するために、アルゴリズムを調整できるようにしておく必要もある。Siriにしばらく潜んでいたバグのように、めったに起こらないけれど致命的な影響を及ぼすバグが隠れていることもある。たとえば、Siriはあるとき、ユーザーに「救急車呼んで」と言われると、「わかりました。これからは"救急車"とお呼びしますね」と答えた[4]〔訳注／英語の「Call me an ambulance」は、「救急車を呼んで」「救急車と呼んで」のどちらの意味にも取れる〕。

　人間の監視の目が必要なもうひとつの分野は、バイアスの検出と修正だ。AIによる意思決定はバイアスを固定化してしまう傾向がある。こうした傾向に対処するため、政府や各種団体はバイアス・テストを義務づけはじめている。第7章で話したように、2019年1月、ニューヨーク州は生命保険会社に宛てて、自社のAIシステムに人種、宗教、出身国などの生まれ持った身分に基づく差別がないことを証明するよう求める通達を出した。ニューヨーク州は、AIが自宅住所や教育水準といった「外的なライフスタイル指標」を使って保険契約の判断をする

ことにより、違法な差別を生むのではないかと心配していた[5]。つまり、"数学洗浄"を防ぎたいと考えたのだ。当然、自社のAIの機密性やセキュリティを保ちたいと考えている企業や、自社のAIが用いている恥ずかしい近道を知られたくない企業から、バイアス・テストに対する反発が上がる可能性もある。Amazonの性差別的な履歴書審査AIの話を覚えているだろうか？　Amazonは実世界でAIを使う前にこの問題を発見し、わたしたちに貴重な教訓を残してくれた。世の中には今、バイアスだらけのアルゴリズムがいったいどれくらい出回っているのだろう？　最善を尽くしながらも誤った判断をしてしまっているアルゴリズムがどれくらいあるのだろう？

実践しながら学習するAIには危険がいっぱい

　AIは、みずから導き出した巧妙な解決策が問題を引き起こしても気づかないだけでなく、周囲の環境と不運な形で相互作用してしまうこともある。そのひとつの例が、今では悪い意味ですっかり有名になってしまったMicrosoftのチャットボットTayだ。Tayは機械学習ベースのTwitterボットで、自分にツイートしてきたユーザーから学習するよう設計されていた。でも、このボットは短命だった。「残念ながら、オンライン・デビューから24時間足らずで、一部のユーザーがTayの会話能力を悪用し、Tayに不適切な返答を覚えさせようとしていることが発覚しました。そのため、わたしたちはTayをオフラインに戻し、鋭意調整を進めているところです」とMicrosoftはワシントン・ポスト紙に語った[6]。ユーザーがTayにヘイト・スピーチや暴言を教えこむのに、ほとんど時間はかからなかった。Tayには、どういう言葉遣いが相手にとって不快なのかという感覚が備わっていなかったので、荒らしたちはその事実につけこんだ。実際、不快なコンテンツにフラグを立てようとすると、どうしても不快なコンテンツのもたらす影響に関する議論にもフラグを立てざるをえなくなる。不快なコンテンツを自動的に認識する優れた方

法がなければ、第5章で学んだとおり、機械学習アルゴリズムが不快なコンテンツをわざわざ自分から広めてしまうこともあるのだ。

検索エンジンの検索語をオートコンプリートするAIは、実践しながら学習を重ねていく。ここに人間が加わると、奇妙な結果につながることもある。人間の抱える問題とは、検索エンジンのオートコンプリート機能が爆笑もののまちがいを犯すと、思わずクリックしてしまうという点だ。すると、AIは同じ検索語を次の人にも提案するようになる。2009年、「なぜわたしのインコはわたしの下痢を食べてくれないの？（Why won't my parakeet eat my diarrhea?）」というフレーズでこの現象が起きたことは有名だ[7]〔訳注／インコには自分のフンを食べる習性がある〕。みんながAIの提案したこのフレーズを面白がって次々とクリックしたところ、AIは「Why won't...」まで入力されたとたんにこのフレーズを提案するようになった。おそらく、Googleの担当者は、AIがこのフレーズを提案しないよう、手動でこのフレーズを削除したのだろう。

　第7章で話したとおり、予測的警備アルゴリズムが実践しながら学習しようとすると、危険が生じる。ある地域の逮捕数がほかの地域よりも多いということに気づくと、アルゴリズムは将来的にその地域でもっと逮捕が増えると予測する。この予測を受けて、警察がその地域により多くの警官を派遣すると、自己成就予言〔訳注／たとえ根拠のない予言であっても、それを信じた者が予言どおりに行動することによって実現してしまう現象〕が生まれてしまうかもしれない。その地域の実際の犯罪率がほかの地域と比べて高くなかったとしても、路上にいる警官が多いというその理由だけで、犯罪の目撃数や逮捕数が増えるだろう。アルゴリズムがこの新しい逮捕データを見れば、その地域でさらに逮捕率が上がると予測するかもしれない。また警察がその地域の警官を増員すれば、問題はいっそうエスカレートする一方だ。もちろん、この種のフィード

バック・ループの影響を受けるのはAIだけではない。ごく単純なアルゴリズムや、時には人間さえも、こうした罠に落ちることはある。

とても単純なフィードバック・ループの実例がある。2011年、マイケル・アイゼンという生物学者は、自身の研究室の同僚がネットでショウジョウバエに関する本を購入しようとしたときに、ある怪奇現象に気づいた[8]。その本は絶版ではあったものの、入手困難というほどではなく、Amazonで中古本が35ドル前後で売られていた。ところが、2冊の新品の本には、なんと173万45ドル91セントと219万8177ドル95セント（プラス3ドル99セントの送料）という値がつけられていた。翌日、アイゼンが再び確認すると、価格は両方とも280万ドル近くまで吊り上がっていた。その後の数日間で、あるパターンが浮かび上がった。朝、安いほうの本を売り出している会社が、高いほうの本の価格のきっかり0.9983倍になるよう値上げする。午後、高いほうの本の価格が、安いほうの本の価格のきっかり1.270589倍まで値上がりする。どうやら、両社ともアルゴリズムを使って本の価格を設定していたようだ。片方の会社は、最安値の状態を保ちつつ、なるべく高い価格をつけたかったのだろう。では、高いほうの価格で本を売っていた会社の動機とはなんだったのか？ アイゼンは、その会社のレビューのスコアがとても高かったことから、それをウリにして他社よりもほんの少し高い価格で本を売ろうとしているのではないかと考えた。そして、注文が入ったら、安いほうの会社から本を仕入れて顧客に発送し、差額をポケットに入れるのだろう。1週間近くがたつと、どんどんせり上がっていた価格は通常どおりに戻った。どこかの人間が問題に気づき、訂正したにちがいない。とはいえ、企業はアルゴリズムによる自動的な値づけを年じゅう用いている。わたしもAmazonで塗り絵の本が1冊2999ドルで売られているのをこの目で見たことがある。

　つまり、これらの本の価格は、単純なルールベース・プログラムが
生み出したものだった。しかし、機械学習アルゴリズムは、もっと面白
く斬新な方法で問題を引き起こすこともある。ある2018年の論文で、
こんな事実が証明された。先ほどのAmazonの値づけの例と似たよう
な状況に置かれたふたつの機械学習アルゴリズムが、利益が最大にな
る価格を設定するという課題を与えられると、非常にずる賢い方法で
共謀するようになるというのだ。共謀するよう教えられたり、お互いに
示しあわせたりしなくても、お互いの価格を観察するだけで、どういう
わけか価格協定を結んでしまう。この現象は、実在の価格シナリオで
はなく、今のところシミュレーション内でしか実証されていないけれど、
オンライン価格の大部分が自律的なAIによって設定されているといわれ
ている昨今、不正な価格協定が広まるのは心配だ。みんなが協力して
高値をつければ、利益が上がるので、共謀は売り手にとってはいいこ
とずくめだけれど、消費者にとっては最悪だ。たとえそうしようと思わな
くても、売り手が意図的にすれば違法なことをAIにやらせてしまう可能
性はある[9]。これも、第7章で紹介した数学洗浄という現象のもうひと
つの側面だ。だからこそ、自分たちのつくったAIが悪者に悪用されたり、
うっかり悪事を働いたりしないよう、人間が目を光らせなければならな
いのだ。

AIにやらせてもいいもの、いけないもの

　人間並みの能力を発揮できるかどうかが、多くの機械学習アルゴリズムにとって基本的な評価基準になる。結局のところ、AIの仕事の大部分は、写真のラベルづけ、メールのフィルタリング、モルモットの命名など、人間がしている行動の例をまねることだ。そして、AIの能力がおおむね人間の水準に達している分野では、人間の代わりに（一定の監視のもとで）反復作業や退屈な作業を任せることができる。これまでの章で見てきたように、機械学習アルゴリズムを用いて地元のスポーツや不動産に関する退屈ながらも読めないことはない記事を自動的に作成しているニュース組織もすでにある。Quicksilverと呼ばれるプロジェクトは、ウィキペディアに目に見えて少ない女性科学者の下書き記事を自動的に作成し、ボランティア編集者の時間を節約している。音声の文字起こしや文章の翻訳を求める人々は、（まちがいだらけの）機械学習バージョンを作業の叩き台として使っている。ミュージシャンは、音楽生成アルゴリズムを使用して、安くつくれればそれほど際立っていなくてもかまわないコマーシャル用のオリジナル音楽を制作できる。多くの場合、人間の果たす役割は編集者だ。

　さらに、人間を使わないほうが望ましい仕事もある。人は話している相手が人間ではなくロボットだと思うと、自分の本音や言いにくい情報を正直に打ち明けやすくなる[10] [11]。（ただし、医療系のチャットボットは深刻な病状を見逃す危険性もある[12]。）怪しい画像を分析し、犯罪の予兆を知らせるようトレーニングされているボットもある（砂漠の風景を人間の肉と勘違いする傾向はあるけれど[13]）。さらには、犯罪でさえ人間よりもロボットのほうが優秀かもしれない。2016年、ハーバード大学のセリーナ・ブースという学生が、人間はロボットを信頼しすぎているという仮説を検証するためのロボットをつくった[14]。ブースはシンプルなリモコン式のロボットをつくり、学生たちのところまで走って行かせ、カード・キー

で厳重管理されている学生寮に入れてほしいと頼ませてみた。通常の状況では、ロボットを寮に入れた学生はたったの19%だった（面白いことに、学生が集団の場合、その数値は少し高くなった）。ところが、そのロボットがクッキーを届けに来たとウソをついただけで、76%もの学生がロボットを中に入れた。

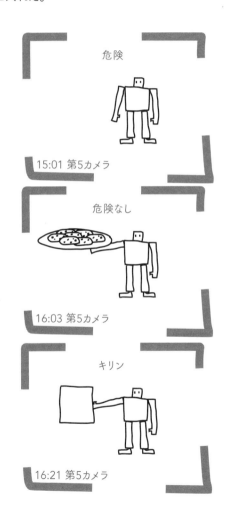

危険

15:01 第5カメラ

危険なし

16:03 第5カメラ

キリン

16:21 第5カメラ

このように、AIが犯罪さえも得意かもしれないひとつの理由は、数学洗浄という現象にある。AIの判断は、いくつかの変数どうしの複雑な関係に基づいて下されることがある。でも、そうした変数の一部は、性別や人種など、本来考慮すべきではない情報を代理している可能性がある。これによってあいまいさが一枚あいだに加わり、意図的かどうかはともかくとして、AIが結果的に法を犯してしまうことさえあるのだ。

課題：~~犯罪を行うこと~~
数値をいじくり、どうなるか確かめること

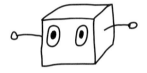

　また、AIが人間の能力を上回るので、AIを使うほうが望ましいというケースももちろんたくさんある。第一、スピードではAIが人間を圧倒的に上回ることが多い。AI対人間のマルチプレーヤー・コンピューター・ゲームでは、人間側にも勝つ望みを与えるために、AIに手加減をさせざるをえないケースもある。また、AIは予想外の事態に対処するのは苦手だとしても、人間より一貫性がある。とすると、AIは人間よりも公平だろうか？　そうかもしれない。少なくとも、数多くの判断を実験的に行い、本来あってはならない統計的な相関関係を探すことにより、AIシステムの公平性をテストすることならできる。ありのままの世界ではなく、あるべき世界と統計が一致するようトレーニング・データを念入りに調整すれば、公平な判断（少なくとも、平均的な人間よりもずっと公平な判断）を下すようAIをトレーニングすることはできるだろう。

アルゴリズムに創造性はある？

　未来の音楽、映画、小説はAIによってつくられるようになるだろうか？　少なくとも部分的にはなるかもしれない。

　AIが制作したアートは、どことなく目を惹き、奇妙で、心をざわざわさせる。無限に姿を変えていくチューリップ。半分溶けた顔を持つ人間。まるで幻覚のような犬で埋め尽くされている空。ティラノサウルスは花や果物に変わり、モナ・リザは間抜けな笑みを浮かべ、ピアノのフレーズはエレキギターのソロに変わる。AIが生成した文章は、超現実的なパフォーマンス・アートの趣をただよわせる。

　「わたしのお気に入りの動物トップ10は、1.」という文章を入力すると、ニューラル・ネットワークのGPT-2はこんなリストを返した。

　わたしのお気に入りの動物トップ10は、
1.　背中に白い傷跡のあるシマウマ
2.　潜行性のクモとタコ
3.　大きな葉っぱのついたカエル（できれば黒）
4.　鱗のついたオカメインコ
5.　顔から10センチほど下に翼が垂れ下がり、蹄叉（ていさ）のひとつにハート形のタトゥーが入っているオオハシウミガラス

　問題解決と同じように創造活動も、「AIによる」ではなく「AI支援による」と表現するほうが正しいだろう。

　たとえば、敵対的生成ネットワーク（GAN）が絵を生成するには、まずデータセットが必要で、しかもちゃんとしたデータセットを選ぶのは人間の仕事だ。GANが特に面白い結果を生成するのは、芸術家が自分の絵や写真を学習材料として与えたときだ。たとえば、芸術家の

アンナ・リドラーは、春に1万枚のチューリップの写真を撮りだめしたあと、その写真を使ってリアルなチューリップを無限に生み出すようGANをトレーニングし、それぞれのチューリップの縞模様がそのときのビットコイン価格によって変化するようにした。芸術家およびソフトウェア・エンジニアのヘレナ・サリンは、GANを使って自身の水彩画やスケッチを面白おかしくリミックスし、それをキュビズム風の絵や奇妙な質感の絵へと変えている。ほかにも、現在パブリック・ドメインとなっているルネサンス時代の肖像画や風景といった既存のデータセットを選び、GANで何ができるのかを確かめようとしている芸術家もいる。データセットのキュレーション［訳注／芸術作品、図書、ネット上の情報などをテーマに沿って収集、整理、管理すること］自体も立派な芸術活動であり、より多くの画風を加えることにより、ハイブリッド型の芸術作品が生まれることもあれば、めちゃくちゃな作品が生まれることもある。角度、スタイル、照明の種類が一定となるようにデータセットをプルーニング（削除）してやれば、ニューラル・ネットワークは自分の見たものどうしを照合し、より現実的な画像を生成しやすくなるだろう。まず大規模なデータセットを使ってトレーニングされたモデルから始め、次に転移学習を用いてより小規模で特化したデータセットに焦点を絞れば、生成結果を調整するより多くの方法が得られる。

10マン マイノ キリンノ シャシンカラ ナル データセットノ
キュレーションハ マカセテ!
ソレニシテモ サイコウノ データセット デスネ。

　文章生成アルゴリズムをトレーニングする人々は、データセットを通じて生成結果を調整することもできる。SF作家のロビン・スローンは、

自身の文章に一定の意外性を盛りこむ手段のひとつとして、ニューラル・ネットワークの生成した文章を実験的に取り入れている数少ない作家のひとりだ[15]。彼は自分自身の入力した文章に対して応答するカスタム・ツールをつくった。そのツールは、ほかのSF小説、科学系ニュース記事、さらには自然保護関係のニュース記事を通じて収集した知識に基づき、次に来る文章を予測する。彼はニューヨーク・タイムズ紙によるインタビューで、このツールを実演してみせた。彼が「The bison are gathered around the canyon（バイソンが峡谷の周りに集まっている）」という文章を入力すると、ツールは「by the bare sky（むき出しの空のそばで）」と応答した。このアルゴリズムの予測した文章は、明らかにずれているという点では完璧でなかった。でも、面白おかしい文章をつくるというスローンの目的にはかなっていた。彼は生成される文章が陳腐すぎるという理由で、1950年代と1960年代のSF小説に基づいてトレーニングした初期のモデルを使うのをやめたほどだ。

　データセットの収集と同じく、AIのトレーニングもまたひとつの芸術活動だ。トレーニング期間はどれくらいがいいか？　中途半端なトレーニングを受けたAIは、奇妙なバグや誤字など、面白い結果を返すことがある。AIが完全に行きづまり、意味不明な文章や、かけ算表や飽和色のような奇妙な視覚的アーティファクト（エラー）を生み出しはじめた場合（このプロセスは**モード崩壊**（mode collapse）と呼ばれる）、トレーニングを一からやり直したほうがいいか？　それとも、逆にちょっとおしゃれだろうか？　ほかの応用先と同じく、芸術家はAIが入力データをまるまるコピーしてしまわないよう注意しなければならない。AIは、データセットを正確にコピーすることが求められていると思っている。だから、可能であれば盗作だって平気でしてしまうのだ。

　そして最後に、AIが出力したものを選別し、それを価値ある作品に変えるのは人間の芸術家の仕事だ。GANや文章生成アルゴリズムは、ほぼ無数の出力を生み出すことができるけれど、そのほとんどはたいして面白くない。それどころか、ひどいものもある。多くの文章生成

ニューラル・ネットワークは、単語の意味すらわかっていないことを思い出してほしい（ミスターおもらしやゲロリンといったネコの名前を提案したニューラル・ネットワークはその例）。文章生成ニューラル・ネットワークをトレーニングしたわたし自身の経験から言うと、みなさんにお見せする価値があるのは結果全体の10％とか1％とか、だいたいそのくらいだ。わたしはアルゴリズムやデータセットに関する話や面白い指摘をするために、いつもアルゴリズムの出力結果を選別している。

　AIの出力を選別するのは、驚くほど複雑なプロセスでもある。わたしは第4章でBigGANを使い、あまりにも多様な画像でトレーニングを受けた画像生成ニューラル・ネットワークが苦しむ様子を紹介した。でも、そうした画像生成ニューラル・ネットワークが持つ最高の特徴のひとつについては話さなかった。それは複数のカテゴリーを融合した画像がつくれるという点だ。

　たとえば、「ニワトリ」を空間内の一点、「犬」を空間内の別の一点と考えてほしい。「ニワトリ」と「犬」を結ぶ最短経路を進むとすると、このふたつの点のあいだにある空間内のほかの点を通ることになる。この中間点に位置する「ニワトリ犬」には、羽が生えていて、だらりと垂れた耳や舌があるだろう。「犬」から出発して「テニス・ボール」へと向かえば、途中で黒い目玉とかわいらしい鼻がついた緑色の球体らしきものを経由することになるだろう。このさまざまな可能性からなる多次元の巨大な視覚的風景は、**潜在空間**（latent space）と呼ばれる。BigGANの潜在空間にアクセスできるようになると、多くの芸術家たちがすかさずその空間に飛びこみ、探検しはじめた。目玉で覆われたオーバーコート。手で覆われたトレンチコート。顔の片側にふたつ目があるとがった顔の犬のような鳥。華麗な丸いドアまでばっちりそろった写真のように美しいホビット村。楽しげな子犬たちの顔が浮かぶキノコ雲。（ImageNetには犬の画像が多いので、BigGANの潜在空間も犬でいっぱいだ。）潜在空間のなかを移動する方法自体もひとつの芸術的な選択といえる。直線と曲線、どちらで移動するべきか？　原点の近くにじっと

しているべきか？　それとも、空間の隅の隅のほうまで冒険してみるべきか？　その選び方ひとつで、見えるものが劇的に変わる。どちらかというと実用的な方法で分類されたImageNetのカテゴリーどうしが融合し、まったく珍奇な画像へと様変わりする様子は、見ていて楽しい。

　こうしたアートはAIが生み出したといえるだろうか？　まちがいなくそうだ。でも、クリエイティブな作業を担ったのはAIだろうか？　とんでもない。自分のAIが芸術家なのだと主張する人々は、AIの能力を誇張している。自分自身の芸術的な貢献や、そのアルゴリズムを設計した人々の貢献を見くびっているにすぎないのだ。

人工的な友人たちに
囲まれた生活

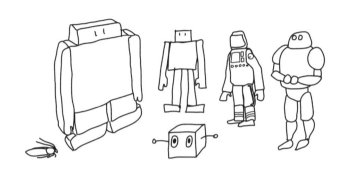

　本書では、AIの意外な側面をたくさん見てきた。

　解決すべき問題と、その問題の解決方法に関する自由を与えられると、AIはプログラマーが夢にも思わなかった解決策を思いつくことがある。地点Aから地点Bまで移動するという課題を与えられたAIは、自分の体を塔のような形に組み上げ、地点Bに向かってばたりと倒れることもあるし、小さな円を描くように回転しながら進んだり、もがき苦しむように床を這って進んだりすることもある。シミュレーション世界でトレーニングされたAIは、宇宙の構造そのものをハッキングし、物理的なバグを突いて超人的な能力を得る方法を見つけ出すこともある。また、指示を文字どおりに受け取ってしまうのもAIのよくあるクセだ。衝突を避けるよう指示されると、ピクリとも動かなくなるし、ビデオ・ゲームで負けないように指示されると、一時停止ボタンを押してゲームを永久にフリーズさせてしまう。さらに、AIはトレーニング・データのなかから、プログラマー自身すら予期しない隠れたパターンを見つけ出すこともある。そのなかには、バイアスのように望ましくないパターンもある。また、

カスケード接続されたモジュラー型のAIは、どのひとつのAIをもってしても対応しきれない課題に一致団結して取り組むこともある。まるでアプリ満載のスマホやハチの集団みたいに。

　AIがどんどん有能になっていっても、人間の望みは理解できないままだろう。AIは人間の望むことをしようとするけれど、人間がAIにしてほしいことと、人間がAIに命じることとのあいだには、いつだって潜在的なギャップがある。AIが人間と同じくらい、または人間以上に人間や人間社会を理解できるほど賢くなる日はやってくるのだろうか？　わたしたちの生きているあいだには、たぶん来ないとわたしは思う。当面のリスクは、AIが賢すぎるという点ではなく、むしろわたしたちが期待するほど賢くないという点にあるといえるだろう。

　表面的には、AIがどんどん理解力を増していくように見えるだろう。写真のようにリアルな風景を生成したり、映画のシーン全体に草木を合成したり、あらゆるコンピューター・ゲームで人間を打ち負かしたりできる日が本当にやってくるかもしれない。でも、すべての根底にあるのはただひとつ、パターン・マッチングなのだ。AIに理解できるのは、理解するのに十分な回数見たものだけだ。

　わたしたちの世界はあまりにも複雑で、予測不能で、奇妙すぎる。AIがトレーニング中にあらゆる例を見ることなんてできない。いつエミューが逃げ出し、子どもたちが突然ゴキブリのコスチュームを着はじめ、人々がいもしないキリンについてたずねてくるかわからない。人間の本当の望みを理解するための背景知識を持たないAIは、きっとずっと人間を誤解しつづけるだろう。

　AIと手をたずさえて進む最善の方法は、人間側がAIを理解することだ。AIが解決するのにふさわしい問題を選び、AIが誤解しそうな部分をあらかじめ想定し、人間のデータに含まれる最悪のパターンをまねるのを防ぐ方法を理解しなければならないのだ。AIを楽観視するも、悲観視するも、わたしたち次第だ。すべては、わたしたちがAIをどう使いこなすかにかかっている。

そして、最後にひとつ忠告を――隠れたキリンには要注意。

謝辞

　本書は、多くの方々の懸命な努力、洞察力、寛大な心がなければ、世に出なかっただろう。この場をお借りして、感謝を述べたい。

　まず、わたしのまとまりのない乱雑な原稿をすばらしい本へと生まれ変わらせてくれた出版社Voraciousのチームのみなさんに、深く感謝したい。バーバラ・クラークは抜群の編集を通じて本書を見ちがえるものにしてくれた。数えきれないくらいあった「実は（actually）」という言葉を削ってくれたおかげで、だいぶ読みやすくなったと思う。担当編集者のニッキー・ゲレイロは、ある日突然メールをくれ、まわりに同僚たちのたくさんいるオフィスでもう5回も吹き出しそうになったと打ち明け、わたしのブログを書籍化する気はないかと提案してくれた。ニッキーの励ましと鋭い洞察力がなかったら、これほどテーマの広い大胆な本は書けなかったと思う。本当にありがとう。

　また、Fletcher and Companyに勤めるわたしのエージェント、エリック・ルプファーは、出版経験のないわたしを最後まで明るく完成へと導いてくれた。ブログを本にするまでには、数えきれないほど多くのステップを踏む必要があった。感謝してもしきれない。

　わたしが初めて機械学習の話を耳にしたのは、2002年、エリック・グッドマンがミシガン州立大学の新入生のために、進化的アルゴリズムに関する刺激的な講演を行ってくれたときだった。アルゴリズムがシミュレーションをぶち壊しにするという話や、的外れな問題を解決してしまうという話は、ずっとわたしの心に焼きついた。早いころからわたしの興味を掻き立て、これほど多くの喜びをもたらしてくれたエリックにお礼を言いたい。

　そして、わたしの友人たちや家族は、長い執筆作業のあいだずっとわたしを励ましつづけ、わたしの練習講演にじっと耳を傾け、ジョークに笑い、一緒に音楽、ハイキング、料理の実験を楽しんで、いつもわたしに元気をチャージしてくれた。ありがとう。

そして最後に、わたしのブログaiweirdness.comの読者やフォロワーのみなさんに感謝を申し上げたい。みなさんがいなければ、編み物のパターンから、クッキー、マニキュア、風刺劇、奇妙な生き物、おかしなネコの名前、ビール名、オペラまで、わたしの風変わりなAI実験はただのひとつだって実現しなかったと思う。そのおかげで生まれたのがこの本だ！ キリンたちが永遠にみなさんとともにいますように……。

原注

はじめに AIはそこらじゅうにいる

1. Caroline O'Donovan et al., "We Followed YouTube's Recommendation Algorithm Down the Rabbit Hole," *BuzzFeed News*, January 24, 2019, https://www.buzzfeednews.com/article/carolineodonovan/down-youtubes-recommendation-rabbithole.

第1章 AIってなあに?

1. Joel Lehman et al., "The Surprising Creativity of Digital Evolution: A Collection of Anecdotes from the Evolutionary Computation and Artificial Life Research Communities," ArXiv:1803.03453[Cs], March 9, 2018, http://arxiv.org/abs/1803.03453.
2. Neel V. Patel, "Why Doctors Aren't Afraid of Better, More Efficient AI Diagnosing Cancer," *The Daily Beast*, December 11, 2017, https://www.thedailybeast.com/why-doctors-arent-afraid-of-better-more-efficient-ai-diagnosing-cancer.
3. Jeff Larson et al., "How We Analyzed the COMPAS Recidivism Algorithm," *ProPublica*, May 23, 2016, https://www.propublica.org/article/how-we-analyzed-the-compas-recidivism-algorithm.
4. Chris Williams, "AI Guru Ng: Fearing a Rise of Killer Robots Is Like Worrying about Overpopulation on Mars," *The Register*, March 19, 2015, https://www.theregister.co.uk/2015/03/19/andrew_ng_baidu_ai/.
5. Marianne Bertrand and Sendhil Mullainathan, "Are Emily and Greg More Employable Than Lakisha and Jamal? A Field Experiment on Labor Market Discrimination," *American Economic Review* 94, no. 4 (September 2004): 991–1013, https://doi.org/10.1257/0002828042002561.

第2章 AIはどこにいる?

1. Stephen Chen, "A Giant Indoor Farm in China Is Breeding 6 Billion Cockroaches a Year. Here's Why," *South China Morning Post*, April 19, 2018, https://www.scmp.com/news/china/society/article/2142316/giant-indoor-farm-china-breeding-six-billion-cockroaches-year.
2. Heliograf, "High School Football This Week: Einstein at Quince Orchard," *Washington Post*, October 13, 2017, https://www.washingtonpost.com/allmetsports/2017-fall/games/football/87408/.
3. Li L'Estrade, "MittMedia Homeowners Bot Boosts Digital Subscriptions with Automated Articles," International News Media Association (INMA), June 18, 2018, https://www.inma.org/blogs/ideas/post.cfm/mittmedia-homeowners-bot-boosts-digital-subscriptions-with-automated-articles.

4. Jaclyn Peiser, "The Rise of the Robot Reporter," *New York Times*, February 5, 2019, https://www.nytimes.com/2019/02/05/business/media/artificial-intelligence-journalism-robots.html.

5. Christopher J. Shallue and Andrew Vanderburg, "Identifying Exoplanets with Deep Learning: A Five Planet Resonant Chain around Kepler-80 and an Eighth Planet around Kepler-90," *The Astronomical Journal* 155, no. 2 (January 30, 2018): 94, https://doi.org/10.3847/1538-3881/aa9e09.

6. R. Benton Metcalf et al., "The Strong Gravitational Lens Finding Challenge," *Astronomy & Astrophysics* 625 (May 2019): A119, https://doi.org/10.1051/0004-6361/201832797.

7. Avi Bagla, "#StarringJohnCho Level 2: Using DeepFakes for Representation," You-Tube video, posted April 9, 2018, https://www.youtube.com/watch?v=hlZkATlqDSM & feature=youtu.be.

8. Tom Simonite, "Facebook's Perfect, Impossible Chatbot," *MIT Technology Review*, April 14, 2017, https://www.technologyreview.com/s/604117/facebooks-perfect-impossible-chatbot/.

9. 同上。

10. Casey Newton, "Facebook Is Shutting Down M, Its Personal Assistant Service That Combined Humans and AI," *The Verge*, January 8, 2018, https://www.theverge.com/2018/1/8/16856654/facebook-m-shutdown-bots-ai.

11. Andrew J. Hawkins, "Inside Waymo's Strategy to Grow the Best Brains for Self-Driving Cars," *The Verge*, May 9, 2018, https://www.theverge.com/2018/5/9/17307156/google-waymo-driverless-cars-deep-learning-neural-net-interview.

12. "OpenAI Five," OpenAI, accessed August 3, 2019, https://openai.com/five/.

13. Katyanna Quach, "OpenAI Bots Smashed in Their First Clash against Human Dota 2 Pros," *The Register* August 23, 2018, https://www.theregister.co.uk/2018/08/23/openai_bots_defeated/.

14. Tom Murphy (@tom7), Twitter, August 23, 2018, https://twitter.com/tom7/status/1032756005107580929.

15. Mike Cook (@mtrc), Twitter, August 23, 2018, https://twitter.com/mtrc/status/1032783369254432773.

16. Tom Murphy, "The First Level of Super Mario Bros. Is Easy with Lexicographic Orderings and Time Travel . . . After That It Gets a Little Tricky" (research paper, Carnegie Melon University), April 1, 2013, http://www.cs.cmu.edu/~tom7/mario/mario.pdf.

17. Benjamin Solnik et al., "Bayesian Optimization for a Better Dessert" (paper presented at the 2017 NIPS Workshop on Bayesian Optimization, Long Beach, CA, December 9, 2017), https://bayesopt.github.io/papers/2017/37.pdf.

18. Sarah Kimmorley, "We Tasted the 'Perfect' Cookie Google Took 2 Months and 59 Batches to Create - and It Was Terrible," *Business Insider Australia*, May 31, 2018, https://www.businessinsider.com.au/google-smart-cookie-ai-

recipe-2018-5.

19. Andrew Krok, "Waymo's Self-Driving Cars Are Far from Perfect, Report Says," *Roadshow*, August 28, 2018, https://www.cnet.com/roadshow/news/waymo-alleged-tech-troubles-report/.

20. C. Lv et al., "Analysis of Autopilot Disengagements Occurring during Autonomous Vehicle Testing," *IEEE/CAA Journal of Automatica Sinica* 5, no. 1 (January 2018): 58–68, https://doi.org/10.1109/JAS.2017.7510745.

21. Andrew Krok, "Uber Self-Driving Car Saw Pedestrian 6 Seconds before Crash, NTSB Says," *Roadshow*, May 24, 2018, https://www.cnet.com/roadshow/news/uber-self-driving-car-ntsb-preliminary-report/.

22. Fred Lambert, "Tesla Elaborates on Autopilot's Automatic Emergency Braking Capacity over Mobileye's System," *Electrek* (blog), July 2, 2016, https://electrek.co/2016/07/02/tesla-autopilot-mobileye-automatic-emergency-braking/.

23. Naaman Zhou, "Volvo Admits Its Self-Driving Cars Are Confused by Kangaroos," *The Guardian*, July 1, 2017, https://www.theguardian.com/technology/2017/jul/01/volvo-admits-its-self-driving-cars-are-confused-by-kangaroos.

第3章　AIはどうやって学習するのか？

1. Ian Goodfellow, Yoshua Bengio, and Aaron Courville, *Deep Learning* (Cambridge, Massachusetts: The MIT Press, 2016).（邦訳：イアン・グッドフェロー、ヨシュア・ベンジオ、アーロン・カービル『深層学習』岩澤有祐・鈴木雅大・中山浩太郎・松尾豊監訳、黒滝紘生・河野慎・味曽野雅史・保住純・野中尚輝・冨山翔司・角田貴大訳、KADOKAWA、2018年）

2. Sean McGregor et al., "FlareNet: A Deep Learning Framework for Solar Phenomena Prediction"（paper presented at the 31st Conference on Neural Information Processing Systems, Long Beach, CA, December 8, 2017), https://dl4physicalsciences.github.io/files/nips_dlps_2017_5.pdf.

3. Alec Radford, Rafal Jozefowicz, and Ilya Sutskever, "Learning to Generate Reviews and Discovering Sentiment," ArXiv:1704.01444[Cs], April 6, 2017, http://arxiv.org/abs/1704.01444.

4. Andrej Karpathy, "The Unreasonable Effectiveness of Recurrent Neural Networks," Andrej Karpathy Blog, May 21, 2015, http://karpathy.github.io/2015/05/21/rnn-effectiveness/.

5. Chris Olah et al., "The Building Blocks of Interpretability," *Distill* 3, no. 3（March 6, 2018): e10, https://doi.org/10.23915/distill.00010.

6. David Bau et al., "GAN Dissection: Visualizing and Understanding Generative Adversarial Networks"（paper presented at the International Conference on Learning Representations, May 6–9, 2019), https://gandissect.csail.mit.edu/.

7. "Botnik Apps," Botnik, accessed August 3, 2019, ttp://botnik.org/apps.

8. Paris Martineau, "Why Google Docs Is Gaslighting Everyone about Spelling: An Investigation," *The Outline*, May 7, 2018, https://theoutline.com/post/4437/why-google-docs-thinks-real-words-are-misspelled.

9. Shaokang Zhang et al., "Zoonotic Source Attribution of *Salmonella enterica* Serotype Typhimurium Using Genomic Surveillance Data, United States," *Emerging Infectious Diseases* 25, no. 1 (2019): 82–91, https://doi.org/10.3201/eid2501.180835.

10. Ian J. Goodfellow et al., "Generative Adversarial Networks," ArXiv:1406.2661 [Cs, Stat], June 10, 2014, http://arxiv.org/abs/1406.2661.

11. Ahmed Elgammal et al., "CAN: Creative Adversarial Networks, Generating 'Art' by Learning About Styles and Deviating from Style Norms," ArXiv:1706.07068 [Cs], June 21, 2017, http://arxiv.org/abs/1706.07068.

12. Beckett Mufson, "This Artist Is Teaching Neural Networks to Make Abstract Art," *Vice*, May 22, 2016, https://www.vice.com/en_us/article/yp59mg/neural-network-abstract-machine-paintings.

13. David Ha and Jurgen Schmidhuber, "World Models," Zenodo, March 28, 2018, https://doi.org/10.5281/zenodo.1207631.

第 4 章　AI だってがんばっている！

1. Tero Karras, Samuli Laine, and Timo Aila, "A Style-Based Generator Architecture for Generative Adversarial Networks," ArXiv:1812.04948 [Cs, Stat], December 12, 2018, http://arxiv.org/abs/1812.04948.

2. Emily Dreyfuss, "A Bot Panic Hits Amazon Mechanical Turk," *Wired*, August 17, 2018, https://www.wired.com/story/amazon-mechanical-turk-bot-panic/.

3. "COCO Dataset," COCO: Common Objects in Context, http://cocodataset.org/#download. Images used during training were 2014 training + 2014 val, for a total of 124k images. Each dialog had 10 questions. https://visualdialog.org/data says 364m dialogs in the training set, so each image was encountered 364/1.24 = 293.5 times.

4. Hawkins, "Inside Waymo's Strategy."

5. Tero Karras et al., "Progressive Growing of GANs for Improved Quality, Stability, and Variation," ArXiv:1710.10196 [Cs, Stat], October 27, 2017, http://arxiv.org/abs/1710.10196.

6. Karras, Laine, and Aila, "A Style-Based Generator Architecture."

7. Melissa Eliott (0xabad1dea), "How Math Can Be Racist: Giraffing," Tumblr, January 31, 2019, https://abad1dea.tumblr.com/post/182455506350/how-math-can-be-racist-giraffing.

8. Corinne Purtill and Zoe Schlanger, "Wikipedia Rejected an Entry on a Nobel Prize Winner Because She Wasn't Famous Enough," *Quartz*, October 2, 2018, https://qz.com/1410909/wikipedia-had-rejected-nobel-prize-winner-donna-strickland-because-she-wasnt-famous-enough/.

9. Jon Christian, "Why Is Google Translate Spitting Out Sinister Religious Prophecies?" *Vice*, July 20, 2018, https://www.vice.com/en_us/article/j5npeg/why-is-google-translate-spitting-out-sinister-religious-prophecies.

10. Nicholas Carlini et al., "The Secret Sharer: Evaluating and Testing Unintended Memorizationin Neural Networks," ArXiv:1802.08232[Cs], February 22, 2018, http://arxiv.org/abs/1802.08232.

11. Jonas Jongejan et al., "Quick, Draw! The Data"(dataset for online game Quick, Draw!), accessed August 3, 2019, https://quickdraw.withgoogle.com/data.

12. Jon Englesman(@engelsjk), Google AI Quickdraw Visualizer(web demo), Github, accessed August 3, 2019, https://engelsjk.github.io/web-demo-quickdraw-visualizer/.

13. Gretchen McCulloch, "Autocomplete Presents the Best Version of You," *Wired*, February 11, 2019, https://www.wired.com/story/autocomplete -presents -the -best -version-of-you/.

14. Abhishek Das et al., "Visual Dialog," ArXiv:1611.08669[Cs], November 26, 2016, http://arxiv.org/abs/1611.08669.

第5章　AIは言われたとおりのことをする

1. @citizen_of_now, Twitter, March 15, 2018, https://twitter.com/citizen_of_now/status/974344339815129089.

2. Doug Blank(@DougBlank), Twitter, April 13, 2018, https://twitter.com/DougBlank/status/984811881050329099.

3. @Smingleigh, Twitter, November 7, 2018, https://twitter.com/Smingleigh/status/1060325665671692288.

4. Christine Barron, "Pass the Butter // Pancake Bot," Unity Connect, January 2018, https://connect.unity.com/p/pancake-bot.

5. Alex Irpan, "Deep Reinforcement Learning Doesn't Work Yet," Sorta Insightful (blog), February 14, 2018, https://www.alexirpan.com/2018/02/14/rl-hard.html.

6. Sterling Crispin(@sterlingcrispin), Twitter, April 16, 2018, https://twitter.com/sterlingcrispin/status/985967636302327808.

7. Sara Chodosh, "The Problem with Cancer-Sniffing Dogs," October 4, 2016, *Popular Science*, https://www.popsci.com/problem-with-cancer-sniffing-dogs/.

8. Wikipedia, s.v. "Anti-Tank Dog," last updated June 29, 2019, https://en.wikipedia.org/w/index.php?title=Anti-tank_dog & oldid=904053260.

9. Anuschka de Rohan, "Why Dolphins Are Deep Thinkers," *The Guardian*, July 3, 2003, https://www.theguardian.com/science/2003/jul/03/research.science.

10. Sandeep Jauhar, "When Doctor's Slam the Door," *New York Times Magazine*, March 16, 2003, https://www.nytimes.com/2003/03/16/magazine/when-doctor-s-slam-the-door.html.

11. Joel Rubin(@joelrubin), Twitter, December 6, 2017, https://twitter.com/

joelrubin/status/938574971852304384.

12. Joel Simon, "Evolving Floorplans," joelsimon.net, accessed August 3, 2019, http://www.joelsimon.net/evo_floorplans.html.

13. Murphy, "First Level of Super Mario Bros."

14. Tom Murphy(suckerpinch), "Computer Program that Learns to Play Classic NES Games," YouTube video, posted April 1, 2013, https://www.youtube.com/watch?v=xOCurBYI_gY.

15. Murphy, "First Level of Super Mario Bros."

16. Jack Clark and Dario Amodei, "Faulty Reward Functions in the Wild," OpenAI, December 21, 2016, https://openai.com/blog/faulty-reward-functions/.

17. Bitmob, "Dimming the Radiant AI in Oblivion," *VentureBeat* (blog), December 17, 2010, https://venturebeat.com/2010/12/17/dimming-the-radiant-ai-in-oblivion/.

18. cliffracer333, "So what happened to Oblivion's npc 'goal' system that they used in the beta of the game. Is there a mod or a way to enable it again?" Reddit thread, June 10, 2016, https://www.reddit.com/r/oblivion/comments/4nimvh/so_what_happened_to_oblivions_npc_goal_system/.

19. Sindya N. Bhanoo, "A Desert Spider with Astonishing Moves," *New York Times*, May 4, 2014, https://www.nytimes.com/2014/05/06/science/a-desert-spider-with-astonishing-moves.html.

20. Lehman et al., "The Surprising Creativity of Digital Evolution."

21. Jette Randlov and Preben Alstrom, "Learning to Drive a Bicycle Using Reinforcement Learning and Shaping," *Proceedings of the Fifteenth International Conference on Machine Learning, ICML '98* (San Francisco, CA: Morgan Kaufmann Publishers Inc., 1998), 463–471, http://dl.acm.org/citation.cfm?id=645527.757766.

22. Yuval Tassa et al., "DeepMind Control Suite," ArXiv:1801.00690[Cs], January 2, 2018, http://arxiv.org/abs/1801.00690.

23. Benjamin Recht, "Clues for Which I Search and Choose," arg min blog, March 20, 2018, http://benjamin-recht.github.io/2018/03/20/mujocoloco/.

24. @citizen_of_now, Twitter, March 15, 2018, https://twitter.com/citizen_of_now/status/974344339815129089.

25. Westley Weimer, "Advances in Automated Program Repair and a Call to Arms," Search *Based Software Engineering*, ed. Gunther Ruhe and Yuanyuan Zhang (Berlin and Heidelberg: Springer, 2013), 1–3.

26. Lehman et al., "The Surprising Creativity of Digital Evolution."

27. Yuri Burda et al., "Large-Scale Study of Curiosity-Driven Learning," ArXiv:1808.04355[Cs, Stat], August 13, 2018, http://arxiv.org/abs/1808.04355.

28. A. Baranes and P.-Y. Oudeyer, "R-IAC: Robust Intrinsically Motivated Exploration and Active Learning," *IEEE Transactions on Autonomous Mental Development* 1, no. 3(October 2009): 155–69, https://doi.org/10.1109/

TAMD.2009.2037513.

29. Devin Coldewey, "This Clever AI Hid Data from Its Creators to Cheat at Its Appointed Task," *TechCrunch*, December 31, 2018, http://social.techcrunch.com/2018/12/31/this-clever-ai-hid-data-from-its-creators-to-cheat-at-its-appointed-task/.

30. "YouTube Now: Why We Focus on Watch Time," YouTube Creator Blog, August 10, 2012, https://youtube-creators.googleblog.com/2012/08/youtube-now-why-we-focus-on-watch-time.html.

31. Guillaume Chaslot(@gchaslot), Twitter, February 9, 2019, https://twitter.com/gchaslot/status/1094359568052817920?s=21.

32. "Continuing Our Work to Improve Recommendations on YouTube," Official YouTube Blog, January 25, 2019, https://youtube.googleblog.com/2019/01/continuing-our-work-to-improve.html.

第6章　AIはハッキングが得意

1. Doug Blank(@DougBlank), Twitter, March 15, 2018, https://twitter.com/DougBlank/status/974244645214588930.

2. Nick Stenning(@nickstenning), Twitter, April 9, 2018, https://twitter.com/DougBlank/status/974244645214588930

3. Christian Gagne et al., "Human-Competitive Lens System Design with Evolution Strategies," *Applied Soft Computing* 8, no. 4(September 1, 2008): 1439–52, https://doi.org/10.1016/j.asoc.2007.10.018.

4. Lehman et al., "The Surprising Creativity of Digital Evolution."

5. Karl Sims, "Evolving 3D Morphology and Behavior by Competition," *Artificial Life* 1, no. 4(July 1, 1994): 353–72, https://doi.org/10.1162/artl.1994.1.4.353.

6. Karl Sims, "Evolving Virtual Creatures," *Proceedings of the 21st Annual Conference on Computer Graphics and Interactive Techniques, SIGGRAPH '94* (New York: ACM, 1994), 15–22, https://doi.org/10.1145/192161.192167.

7. Lehman et al., "The Surprising Creativity of Digital Evolution."

8. David Clements(@davecl42), Twitter, March 18, 2018, https://twitter.com/davecl42/status/975406071182479361.

9. Nick Cheney et al., "Unshackling Evolution: Evolving Soft Robots with Multiple Materials and a Powerful Generative Encoding," *ACM SIGEVOlution* 7, no. 1 (August 2014): 11–23, https://doi.org/10.1145/2661735.2661737.

10. John Timmer, "Meet Wolbachia: The Male-Killing, Gender-Bending, Gonad-Eating Bacteria," *Ars Technica*, October 24, 2011, https://arstechnica.com/science/news/2011/10/meet-wolbachia-the-male-killing-gender-bending-gonad-chomping-bacteria.ars.

11. @forgek_, Twitter, October 10, 2018, https://twitter.com/forgek_/status/1050045261563813888.

12. R. Feldt, "Generating Diverse Software Versions with Genetic Programming: An

Experimental Study," *IEE Proceedings-Software* 145, no. 6(December 1998): 228–36, https://doi.org/10.1049/ip-sen:19982444.

13. George Johnson, "Eurisko, the Computer With a Mind of Its Own," Alicia Patterson Foundation, updated April 6, 2011, https://aliciapatterson.org/stories/eurisko-computer-mind-its-own.

14. Eric Schulte, Stephanie Forrest, and Westley Weimer, "Automated Program Repair through the Evolution of Assembly Code," *Proceedings of the IEEE/ACM International Conference on Automated Software Engineering, ASE '10* (New York, NY: ACM, 2010], 313–316, https://doi.org/10.1145/1858996.1859059.

第7章　AI は的外れな近道をする

1. Marco Tulio Ribeiro, Sameer Singh, and Carlos Guestrin, "'Why Should I Trust You?': Explaining the Predictions of Any Classifier," ArXiv:1602.04938[Cs, Stat], February 16, 2016, http://arxiv.org/abs/1602.04938.

2. Luke Oakden-Rayner, "Exploring the ChestXray14 Dataset: Problems," Luke Oakden-Rayner(blog), December 18, 2017, https://lukeoakdenrayner.wordpress.com/2017/12/18/the-chestxray14-dataset-problems/.

3. David M. Lazer et al., "The Parable of Google Flu: Traps in Big Data Analysis," *Science* 343, no. 6176(March 14, 2014): 1203–5, https://doi.org/10.1126/science.1248506.

4. Gidi Shperber, "What I've Learned from Kaggle's Fisheries Competition," *Medium*, May 1, 2017, https://medium.com/@gidishperber/what-ive-learned-from-kaggle-s-fisheries-competition-92342f9ca779.

5. J. Bird and P. Layzell, "The Evolved Radio and Its Implications for Modelling the Evolution of Novel Sensors," *Proceedings of the 2002 Congress on Evolutionary Computation, CEC'02(Cat. No.02TH8600)*vol. 2(2002 World Congress on Computational Intelligence - WCCI'02, Honolulu, HI, USA: IEEE, 2002): 1836–41, https://doi.org/10.1109/CEC.2002.1004522.

6. Hannah Fry, *Hello World: Being Human in the Age of Algorithms*(New York: W. W. Norton & Company, 2018).

7. Lo Benichou, "The Web's Most Toxic Trolls Live in ...Vermont?," *Wired*, August 22, 2017, https://www.wired.com/2017/08/internet-troll-map/.

8. Violet Blue, "Google's Comment-Ranking System Will Be a Hit with the Alt-Right," *Engadget*, September 1, 2017, https://www.engadget.com/2017/09/01/google-perspective-comment-ranking-system/.

9. Jessamyn West(@jessamyn), Twitter, August 24, 2017, https://twitter.com/jessamyn/status/900867154412699649.

10. Robyn Speer, "ConceptNet Numberbatch 17.04: Better, Less-Stereotyped Word Vectors," ConceptNet blog, April 24, 2017, http://blog.conceptnet.io/posts/2017/conceptnet-numberbatch-17-04-better-less-stereotyped-word-

vectors/.

11. Aylin Caliskan, Joanna J. Bryson, and Arvind Narayanan, "Semantics Derived Automatically from Language Corpora Contain Human-like Biases," *Science* 356, no. 6334 (April 14, 2017): 183–86, https://doi.org/10.1126/science.aal4230.

12. Anthony G. Greenwald, Debbie E. McGhee, and Jordan L. K. Schwartz, "Measuring Individual Differences in Implicit Cognition: The Implicit Association Test," *Journal of Personality and Social Psychology* 74 (June 1998): 1464–80.

13. Brian A. Nosek, Mahzarin R. Banaji, and Anthony G. Greenwald, "Math = Male, Me = Female, Therefore Math Not = Me," *Journal of Personality and Social Psychology* 83, no. 1 (July 2002): 44–59.

14. Speer, "ConceptNet Numberbatch 17.04."

15. Larson et al., "How We Analyzed the COMPAS."

16. Jeff Larson and Julia Angwin, "Bias in Criminal Risk Scores Is Mathematically Inevitable, Researchers Say," *ProPublica*, December 30, 2016, https://www.propublica.org/article/bias-in-criminal-risk-scores-is-mathematically-inevitable-researchers-say.

17. James Regalbuto, "Insurance Circular Letter No. 1 (2019), " New York State Department of Financial Services, January 18, 2019, https://www.dfs.ny.gov/industry_guidance/circular_letters/cl2019_01.

18. Jeffrey Dastin, "Amazon Scraps Secret AI Recruiting Tool That Showed Bias against Women," Reuters, October 10, 2018, https://www.reuters.com/article/us-amazon-com-jobs-automation-insight-idUSKCN1MK08G.

19. James Vincent, "Amazon Reportedly Scraps Internal AI Recruiting Tool That Was Biased against Women," *The Verge*, October 10, 2018, https://www.theverge.com/2018/10/10/17958784/ai-recruiting-tool-bias-amazon-report.

20. Paola Cecchi-Dimeglio, "How Gender Bias Corrupts Performance Reviews, and What to Do About It," *Harvard Business Review*, April 12, 2017, https://hbr.org/2017/04/how-gender-bias-corrupts-performance-reviews-and-what-to-do-about-it.

21. Dave Gershgorn, "Companies Are on the Hook If Their Hiring Algorithms Are Biased," *Quartz*, October 22, 2018, https://qz.com/1427621/companies-are-on-the-hook-if-their-hiring-algorithms-are-biased/.

22. Karen Hao, "Police across the US Are Training Crime-Predicting AIs on Falsified Data," *MIT Technology Review*, February 13, 2019, https://www.technologyreview.com/s/612957/predictive-policing-algorithms-ai-crime-dirty-data/.

23. Steve Lohr, "Facial Recognition Is Accurate, If You're a White Guy," *New York Times*, February 9, 2018, https://www.nytimes.com/2018/02/09/technology/facial-recognition-race-artificial-intelligence.html.

24. Julia Carpenter, "Google's Algorithm Shows Prestigious Job Ads to Men, but

Not to Women. Here's Why That Should Worry You," *Washington Post*, July 6, 2015, https://www.washingtonpost.com/news/the-intersect/wp/2015/07/06/googles-algorithm-shows-prestigious-job-ads-to-men-but-not-to-women-heres-why-that-should-worry-you/.

25. Mark Wilson, "This Breakthrough Tool Detects Racism and Sexism in Software," *Fast Company*, August 22, 2017, https://www.fastcompany.com/90137322/is-your-software-secretly-racist-this-new-tool-can-tell.

26. ORCAA, accessed August 3, 2019, http://www.oneilrisk.com.

27. Faisal Kamiran and Toon Calders, "Data Preprocessing Techniques for Classification without Discrimination," *Knowledge and Information Systems* 33, no. 1 (October 1, 2012): 1–33, https://doi.org/10.1007/s10115-011-0463-8.

第8章　AIと人間の脳は似ている？

1. Ha and Schmidhuber, "World Models."

2. Anthony J. Bell and Terrence J. Sejnowski, "The 'Independent Components' of Natural Scenes Are Edge Filters," *Vision Research* 37, no. 23 (December 1, 1997): 3327–38, https://doi.org/10.1016/S0042-6989(97)00121-1.

3. Andrea Banino et al., "Vector-Based Navigation Using Grid-Like Representations in Artificial Agents," *Nature* 557, no. 7705 (May 2018): 429–33, https://doi.org/10.1038/s41586-018-0102-6.

4. Bau et al., "GAN Dissection."

5. Larry S. Yaeger, "Computational Genetics, Physiology, Metabolism, Neural Systems, Learning, Vision, and Behavior or PolyWorld: Life in a New Context," *Santa Fe Institute Studies in the Sciences of Complexity*, vol. 17 (Los Alamos, NM: Addison-Wesley Publishing Company, 1994), 262–63.

6. Baba Narumi et al., "Trophic Eggs Compensate for Poor Offspring Feeding Capacity in a Subsocial Burrower Bug," *Biology Letters* 7, no. 2 (April 23, 2011): 194–96, https://doi.org/10.1098/rsbl.2010.0707.

7. Robert M. French, "Catastrophic Forgetting in Connectionist Networks," *Trends in Cognitive Sciences* 3, no. 4 (April 1999): 128–35.

8. Jieyu Zhao et al., "Men Also Like Shopping: Reducing Gender Bias Amplification Using Corpus-Level Constraints," ArXiv:1707.09457 [Cs, Stat], July 28, 2017, http://arxiv.org/abs/1707.09457.

9. Danny Karmon, Daniel Zoran, and Yoav Goldberg, "LaVAN: Localized and Visible Adversarial Noise," ArXiv:1801.02608 [Cs], January 8, 2018, http://arxiv.org/abs/1801.02608.

10. Andrew Ilyas et al., "Black-Box Adversarial Attacks with Limited Queries and Information," ArXiv:1804.08598 [Cs, Stat], April 23, 2018, http://arxiv.org/abs/1804.08598.

11. Battista Biggio et al., "Poisoning Behavioral Malware Clustering," ArXiv:1811.09985 [Cs, Stat], November 25, 2018, http://arxiv.org/

abs/1811.09985.

12. Tom White, "Synthetic Abstractions," *Medium*, August 23, 2018, https://medium.com/@tom_25234/synthetic-abstractions-8f0e8f69f390.

13. Samuel G. Finlayson et al., "Adversarial Attacks Against Medical Deep Learning Systems," ArXiv:1804.05296[Cs, Stat], April 14, 2018, http://arxiv.org/abs/1804.05296.

14. Philip Bontrager et al., "DeepMasterPrints: Generating MasterPrints for Dictionary Attacks via Latent Variable Evolution," ArXiv:1705.07386[Cs], May 20, 2017, http://arxiv.org/abs/1705.07386.

15. Stephen Buranyi, "How to Persuade a Robot That You Should Get the Job," *The Observer*, March 4, 2018, https://www.theguardian.com/technology/2018/mar/04/robots-screen-candidates-for-jobs-artificial-intelligence.

16. Lauren Johnson, "4 Deceptive Mobile Ad Tricks and What Marketers Can Learn FromThem," *Adweek*, February 16, 2018, https://www.adweek.com/digital/4-deceptive-mobile-ad-tricks-and-what-marketers-can-learn-from-them/.

17. Wieland Brendel and Matthias Bethge, "Approximating CNNs with Bag-of-Local-Features Models Works Surprisingly Well on ImageNet," ArXiv:1904.00760[Cs, Stat], March 20, 2019, http://arxiv.org/abs/1904.00760.

第9章　AIがいそうもないところはどこ？──人間のボット

1. @yoco68, Twitter, July 12, 2018, https://twitter.com/yoco68/status/1017404857190268928.

2. Parmy Olson, "Nearly Half of All 'AI Startups' Are Cashing in on Hype," *Forbes*, March 4, 2019, https://www.forbes.com/sites/parmyolson/2019/03/04/nearly-half-of-all-ai-startups-are-cashing-in-on-hype/#5b1c4a66d022.

3. Carolyn Said, "Kiwibots Win Fans at UC Berkeley as They Deliver Fast Food at Slow Speeds," *San Francisco Chronicle*, May 26, 2019, https://www.sfchronicle.com/business/article/Kiwibots-win-fans-at-UC-Berkeley-as-they-deliver-13895867.php.

4. Olivia Solon, "The Rise of 'Pseudo-AI': How Tech Firms Quietly Use Humans to Do Bots' Work," *The Guardian*, July 6, 2018, https://www.theguardian.com/technology/2018/jul/06/artificial-intelligence-ai-humans-bots-tech-companies.

5. Ellen Huet, "The Humans Hiding Behind the Chatbots," *Bloomberg.com*, April 18, 2016, https://www.bloomberg.com/news/articles/2016-04-18/the-humans-hiding-behind-the-chatbots.

6. Richard Wray, "SpinVox Answers BBC Allegations over Use of Humans Rather than Machines," *The Guardian*, July 23, 2009, https://www.theguardian.com/business/2009/jul/23/spinvox-answer-back.

7. Becky Lehr(@Breakaribecca), Twitter, July 7, 2018, https://twitter.com/Breakaribecca/status/1015787072102289408.

8. Paul Mozur, "Inside China's Dystopian Dreams: A.I., Shame and Lots of

Cameras," *New York Times*, July 8, 2018, https://www.nytimes.com/2018/07/08/business/china-surveillance-technology.html.

9. Aaron Mamiit, "Facebook AI Invents Language That Humans Can't Understand: System Shut Down Before It Evolves Into Skynet," *Tech Times*, July 30, 2017, http://www.tech times.com/articles/212124/20170730/facebook-ai-invents-language-that-humans-cant-understand-system-shut-down-before-it-evolves-into-skynet.htm.

10. Kyle Wiggers, "Babysitter Screening App Predictim Uses AI to Sniff out Bullies," *VentureBeat* (blog), October 4, 2018, https://venturebeat.com/2018/10/04/babysitter-screening-app-predictim-uses-ai-to-sniff-out-bullies/.

11. Chelsea Gohd, "Here's What Sophia, the First Robot Citizen, Thinks About Gender and Consciousness," *Live Science*, July 11, 2018, https://www.livescience.com/63023-sophia-robot-citizen-talks-gender.html.

12. C. D. Martin, "ENIAC: Press Conference That Shook the World," *IEEE Technology and Society Magazine* 14, no. 4 (Winter 1995): 3–10, https://doi.org/10.1109/44.476631.

13. Alexandra Petri, "A Bot Named 'Eugene Goostman' Passes the Turing Test ... Kind Of," *Washington Post*, June 9, 2014, https://www.washingtonpost.com/blogs/compost/wp/2014/06/09/a-bot-named-eugene-goostman-passes-the-turing-test-kind-of/.

14. Brian Merchant, "Predictim Claims Its AI Can Flag 'Risky' Babysitters. So I Tried It on the People Who Watch My Kids," *Gizmodo*, December 6, 2018, https://gizmodo.com/predictim-claims-its-ai-can-flag-risky-babysitters-so-1830913997.

15. Drew Harwell, "AI Start-up That Scanned Babysitters Halts Launch Following Post Report," *Washington Post*, December 14, 2018, https://www.washingtonpost.com/technology/2018/12/14/ai-start-up-that-scanned-babysitters-halts-launch-following-post-report/.

16. Tonya Riley, "Get Ready, This Year Your Next Job Interview May Be with an A.I. Robot," CNBC, March 13, 2018, https://www.cnbc.com/2018/03/13/ai-job-recruiting-tools-offered-by-hirevue-mya-other-start-ups.html.

17. 同上。

第10章　人間と AI のパートナーシップ

1. Thu Nguyen-Phuoc et al., "HoloGAN: Unsupervised Learning of 3D Representations from Natural Images," ArXiv:1904.01326 [Cs], April 2, 2019, http://arxiv.org/abs/1904.01326.

2. Drew Linsley et al., "Learning What and Where to Attend," ArXiv:1805.08819 [Cs], May 22, 2018, http://arxiv.org/abs/1805.08819.

3. Hector Yee (@eigenhector), Twitter, September 14, 2018, https://twitter.com/eigenhector/status/1040501195989831680.

4. Will Knight, "A Tougher Turing Test Shows That Computers Still Have Virtually NoCommon Sense," *MIT Technology Review*, July 14, 2016, https://www.technologyreview.com/s/601897/tougher-turing-test-exposes-chatbots-stupidity/.

5. James Regalbuto, "Insurance Circular Letter."

6. Abby Ohlheiser, "Trolls Turned Tay, Microsoft's Fun Millennial AI Bot, into a Genocidal Maniac," *Chicago Tribune*, March 26, 2016, https://www.chicagotribune.com/business/ct-internet-breaks-microsoft-ai-bot-tay-20160326-story.html.

7. Glen Levy, "Google's Bizarre Search Helper Assumes We Have Parakeets, Diarrhea," *Time*, November 4, 2010, http://newsfeed.time.com/2010/11/04/why-why-wont-my-parakeet-eat-my-diarrhea-is-on-google-trends/.

8. Michael Eisen, "Amazon's $23,698,655.93 Book about Flies," It Is NOT Junk (blog), April 22, 2011, http://www.michaeleisen.org/blog/?p=358.

9. Emilio Calvano et al., "Artificial Intelligence, Algorithmic Pricing, and Collusion," VoxEU (blog), February 3, 2019, https://voxeu.org/article/artificial-intelligence-algorithmic-pricing-and-collusion.

10. Solon, "The Rise of 'Pseudo-AI.' "

11. Gale M. Lucas et al., "It's Only a Computer: Virtual Humans Increase Willingness to Disclose," *Computers in Human Behavior* 37 (August 1, 2014): 94–100, https://doi.org/10.1016/j.chb.2014.04.043.

12. Liliana Laranjo et al., "Conversational Agents in Healthcare: A Systematic Review," *Journal of the American Medical Informatics Association* 25, no. 9 (September 1, 2018): 1248–58, https://doi.org/10.1093/jamia/ocy072.

13. Margi Murphy, "Artificial Intelligence Will Detect Child Abuse Images to Save Police from Trauma," *The Telegraph*, December 18, 2017, https://www.telegraph.co.uk/technology/2017/12/18/artificial-intelligence-will-detect-child-abuse-images-save/.

14. Adam Zewe, "In Automaton We Trust," Harvard School of Engineering and Applied Science, May 25, 2016, https://www.seas.harvard.edu/news/2016/05/in-automaton-we-trust.

15. David Streitfeld, "Computer Stories: A.I. Is Beginning to Assist Novelists," *New York Times*, October 18, 2018, https://www.nytimes.com/2018/10/18/technology/ai-is-beginning-to-assist-novelists.html.

おバカな答えも AI してる
人工知能はどうやって学習しているのか？

2021年2月28日　初版1刷発行

著者 ──────── ジャネル・シェイン
訳者 ──────── 千葉敏生
カバーデザイン ──────── 上坊菜々子
発行者 ──────── 田邉浩司
組版 ──────── 新藤慶昌堂
印刷所 ──────── 新藤慶昌堂
製本所 ──────── 榎本製本
発行所 ──────── 株式会社光文社
〒 112-8011　東京都文京区音羽1-16-6
電話 ──────── 翻訳編集部 03-5395-8162
書籍販売部 03-5395-8116
業務部 03-5395-8125

落丁本・乱丁本は業務部へご連絡くだされば、お取り替えいたします。

©Janelle Shane / Toshio Chiba 2021
ISBN978-4-334-96246-3 Printed in Japan

デイヴィッド・サンプター 著　千葉敏生 訳

サッカーマティクス

数学が解明する強豪チーム「勝利の方程式」

SOCCER+MATHEMATICS
=SOCCERMATICS
Mathematical Adventures in the Beautiful Game

サッカー
数学 が解明する強豪チーム「勝利の方程式」
マティクス

David Sumpter　デイヴィッド・サンプター
千葉敏生 訳

光文社

四六判・ソフトカバー

**バルセロナのフォーメーションは
なぜ数学的に美しいのか?**

イブラヒモビッチのオーバーヘッドは何が凄い?
なぜ勝ち点は3なのか? シュート決定率やリーグ
戦での勝敗率といった統計から、パスやフォーメー
ションの幾何学まで、サッカーには数学的要素が溢
れている。それらを最新の手法で追跡・分析すると、
驚くべきパターンが見えてくる。サッカー愛に満ち
た数学者による、「サッカー観」が変わる一冊!

アルゴリズムはどれほど人を支配しているのか？ あなたを分析し、操作するブラックボックスの真実

デイヴィッド・サンプター 著 千葉敏生・橋本篤史 訳

四六判・ソフトカバー

データの錬金術師たちに惑わされるな

検索サイト、SNS、ネット通販を使うたび、私たちの行動と嗜好は、特定のアルゴリズムに分析され、リターゲティング広告やフェイクニュースを含む情報配信、あるいは危険分子の監視に利用されている。だが実のところそれはどれほど正確で公正で効果的なのか。人気数学者がアルゴリズムとAIの現在の到達点、将来の可能性と限界を評価。AI脅威論の真実に迫る。

サラ・パーカック 著　熊谷玲美 訳

古代遺跡は人工衛星で探し出せ

宇宙考古学の冒険

四六判・ソフトカバー

TED Prize(2016年度)受賞。
地中や密林に隠れた遺跡も発見!

人工衛星からのマルチスペクトルな高分解能画像を分析し、隠れた遺跡を探索する「宇宙考古学」。その第一人者であり、「現代のインディ・ジョーンズ」と称される気鋭のエジプト学者が、最新技術と昔ながらの考古学者の情熱でなしとげた数々の発見を紹介しつつ、未来における考古学の可能性を語る。

（解説／河江肖剰）

問いこそが答えだ！

正しく問う力が仕事と人生の視界を開く

ハル・グレガーセン 著　黒輪篤嗣 訳

四六判・ソフトカバー

良い「答え」が生まれないなら、間違っているのは「問い」かもしれない

「問い」を変えてみることによって、職場や家庭の、もっとも厄介な問題に、より良い「答え」を導けたら？　偉大なる問いの力に魅せられた、世界的イノベーティブシンカーである著者が、問いの重要性と効能について語り、それを次々と生み出す環境やテクニックについても解説。「問い」研究のすべてを明かす話題の書。

マルコム・グラッドウェル 著 濱野大道 訳

トーキング・トゥ・ストレンジャーズ

「よく知らない人」について私たちが知っておくべきこと

**"わかりあえない"時代を
乗り越えるための必読書**

なぜ黒人女性と警官の口論は起こったのか？ 有名コーチの少年への性犯罪が長年発覚しなかった理由は？ 誰もがある女性を殺人事件の犯人だと思い込んだのはなぜか？ 他人の感情や意図を推し量る能力の欠陥を暴き、「他者といかにつきあうか」という人間の根源的な営みに新しい光を当てる全米ベストセラー。

四六判・ソフトカバー